GERMAN
ESSAYS II

GOETHE

GERMAN ESSAYS II

GOETHE

Selected, Edited, and Annotated by

MAX DUFNER
The University of Michigan

VALENTINE C. HUBBS
The University of Michigan

THE MACMILLAN COMPANY, NEW YORK
COLLIER-MACMILLAN LIMITED, LONDON

Library of Congress catalog card number: 63–15262

The Macmillan Company, New York
Collier-Macmillan Canada, Ltd., Toronto, Ontario

Printed in the United States of America

DESIGNED BY RONALD FARBER

PREFACE

TODAY, when more and more undergraduates are reading matter offering an intellectual challenge com- to put into their hands in their foreign-language classes reading matter offering an intellectual challange com- mensurate with the remainder of their studies. Un- fortunately, and partly as a result of the two world wars, it often appears as though many of our students have at best the impression that the contribution of German-speaking Europe to the intellectual life of which we are the heirs has been minimal—at worst, they have never heard of any at all. This text is the second of a series whose purpose it is to make easily available in the original German some of those expository writ- ings from the last two centuries considered by many well-read Central Europeans a basic part of Western culture.

As desirable as it may be to read with our advanced classes some of the great classics of German literature, hardly anyone would assert that the students ought to become familiar with belles lettres only. And while

v

assuredly many of the more elementary "cultural readers" in vogue today mention such names as Kant, Novalis, Alexander von Humboldt, Nietzsche, Jung, and others, these men remain hardly more than names to most students who do not go on to a graduate program in the field of German literature.

The texts in this series are intended as supplements to the work done in third-year classes in college German. At some institutions fourth-semester students will be ready for such material. In any case, no vocabulary has been provided, for if the student is ready to read these rather difficult essays, he will be armed with a good dictionary. However, passages of some syntactical complexity, archaic words, and words of low frequency appear translated in footnotes. The editors have avoided interpretive commentary in the notes except where it appeared necessary for comprehension, since that is the prerogative of the teacher, or better yet, a result of discussion in the classroom under the guidance of the teacher.

The twelve essays in this volume spread before the student some works from Goethe's own pen which illustrate the breadth of his interests and the astounding range of his mind. The editors hope that by making the essays available with notes in English, more students who are not German majors will be able to experience the great pleasure and deep satisfaction of reading Goethe. In addition, these writings can prepare for, or accompany, the study of *Faust*.

While the editors reprinted their text from the *Gedenkausgabe der Werke, Briefe und Gespräche,* hrsg. von Ernst Beutler (Zürich: Artemis Verlag, 1949 ff.), by permission of the publisher, they are grateful for all the help they received from various other editions, especially *Goethes Werke,* hrsg. von Erich Trunz (Hamburg, 1948 ff.).

CONTENTS

vii

INTRODUCTION

JOHANN Wolfgang von Goethe's long life (1749–1832) spanned the most remarkable period in Germany's history, an era which included the writings of Klopstock, Lessing, Wieland, Herder, Schiller, Hölderlin, Novalis, Kleist, and E. T. A. Hoffmann, the philosophies of Kant, Fichte, Schelling, and Hegel, and the music of Haydn, Mozart, and Schubert. Among these great men Goethe was a giant. Perhaps the only contemporary figure who could be compared to him is Ludwig van Beethoven. In a much vaster perspective, Goethe ranks with Homer, Sophocles, Vergil, Dante, and Shakespeare.

Of the world's greatest poets Goethe was the last to be born, and so he fell heir to their legacy. But he was also fortunate in being born in the eighteenth century and achieving manhood at a time when his enormous native talent could absorb and profit from what so many others had accomplished in that productive age immediately preceding his own.

What particularly distinguishes Goethe is the variety,

the range, the consistent intensity, and the deceptive simplicity of both his verse and prose, and his ability to sustain the high level of his art all his life. His crowning work, the dramatic poem *Faust,* for example, represents the intermittent labors of over sixty years, having been completed in 1831, the year before his death.

Moreover, he was a great master in all the major genres of poetry, from the beautiful eight-line lyric *Wanderers Nachtlied* (1780) to the epic poem *Hermann und Dorothea* (1798) and the poetic cycle *West-östlicher Divan* (1819). His dramas *Iphigenie auf Tauris* (1787) and *Torquato Tasso* (1790), while lacking the dramatic power of Schiller's best plays, contain some of the most exquisitely wrought iambic pentameter lines in all of German literature.

His fame as a writer began with a novel, however, for—unlike many of his other creations—*Die Leiden des jungen Werthers* (1774) became a spectacular success almost immediately. The much longer and more involved novel *Wilhelm Meisters Lehrjahre* (1796) established firmly in the tradition of German letters the kind of narrative designated with the term *Bildungsroman.*

His principal autobiographical works, *Dichtung und Wahrheit* (1811–1833) and *Italienische Reise* (1816–1829), as well as the collection of aphorisms now known under the title *Maximen und Reflexionen,* give expression to his profound understanding of life and reveal the startling integrity of his many-faceted personality, the truly high order of his intelligence and, above all, his wisdom. This is true also of his letters and diaries and his recorded conversations, especially those with Johann Peter Eckermann, his secretary.

What is most surprising is the fact that this poet,

born at a time when creative and intellectual activity had not yet been fragmented through specialization, and originally a lawyer by profession, was most of his life a serious and devoted student of architecture, geology, archeology, botany, zoology, physiology, philosophy, painting, physics, mineralogy, and meteorology. He wrote on these subjects at length and even published journals to promote communication on some of these matters with interested contemporaries. Goethe's proof of the existence in man as well as in animals of the intermaxillary bone was one of the scientific achievements leading to the later development of the theory of evolution. However, his major scientific opus, the one from which he himself derived the most satisfaction, was his *Farbenlehre* (1810), the documentation of his years-long study in the physics of color. Even though modern science cannot agree with his conclusions, which oppose with tenacious insistence the findings of Sir Isaac Newton, both laymen and scientists of today find themselves attracted by this book, particularly that section entitled "Materialien zur Geschichte der Farbenlehre." A list of his other important writings on science would certainly have to include *Die Metamorphose der Pflanzen* (1790), *Geschichte meines botanischen Studiums* (1817–1831), and a series of treatises concerned with comparative anatomy.

Once one has perceived how much Goethe's mind comprehended, how earnestly, like Faust, he probed all manner of human experience and tried to find out what holds this world together, the term "universal genius" so often applied to him by the initiated ceases to sound stuffy and pompous.

For biographical details the student is referred to any good encyclopedia, since their inclusion here would far exceed the limits set for this brief introduction. The following works will be useful in undertaking a serious study of Goethe.

Bibliography

BIELSCHOWSKY, A., *The Life of Goethe*. 3 vols., trans. by W. Cooper (New York & London, 1905–1908).

LEWES, G. H., *The Life and Works of Goethe*. London & New York, 1908. (This book is available in the Everyman's Library series.)

LUDWIG, E., *Goethe, The History of a Man*, trans. by E. C. Mayne (New York & London, 1928).

STAIGER, E., *Goethe*. 3 vols. (Zürich, 1952–1959) (in German).

VIËTOR, K., *Goethe, the poet*, trans. by M. Hadas (Cambridge, Mass., 1949).

———. *Goethe, the thinker*, trans. by B. Q. Morgan (Cambridge, Mass., 1950).

ZUM SCHÄKESPEARS TAG

THIS ESSAY, not printed until 1854, over two decades after its author's death, was read on October 14, 1771, at a festival in honor of Shakespeare held in Goethe's home in Frankfurt.

Its content reflects the interest in Shakespeare among many German writers of that time. Among those who wrote eloquently and persuasively about the great bard of Avon were Gotthold Ephraim Lessing and Johann Gottfried Herder. In the years 1762–1766 Christoph Martin Wieland had translated twenty-two of Shakespeare's plays into German (all but one of them into prose), and it is this version that was available to the young Goethe in his father's library.

Zum Schäkespears Tag, with its enthusiastic and subjective character and in its almost dithyrambic tone, is a fine example of Goethe's early expository prose style. In many ways it presages his later *Sturm und Drang* poetry, especially *Prometheus* of 1774, and shows vividly the impact of Shakespeare on the most prominent young writer among the creators of the "new poetry" in Germany.

ZUM SCHÄKESPEARS TAG

MIR KOMMT vor, das sey die edelste von unsern
Empfindungen, die Hoffnung, auch dann zu bleiben,
wenn das Schicksaal uns zur allgemeinen Nonexistenz
zurückgeführt zu haben scheint. Dieses Leben, meine
5 Herren, ist für unsre Seele viel zu kurz, Zeuge, dass
ieder Mensch, der geringste wie der höchste, der un-
fähigste wie der würdigste, eher alles müd wird, als
zu leben; und dass keiner sein Ziel erreicht, wornach
er so sehnlich ausging—denn wenn es einem auf
10 seinem Gange auch noch so lang glückt, fällt er doch
endlich, und offt im Angesicht des gehofften Zwecks,
in eine Grube, die ihm, Gott weis wer, gegraben hat,
und wird für nichts gerechnet.
   Für nichts gerechnet! Ich! Der ich mir alles binn, da
15 ich alles nur durch mich kenne! So ruft ieder, der sich
fühlt, und macht grosse Schritte durch dieses Leben,

eine Bereitung für den unendlichen Weeg drüben. Freylich ieder nach seinem Maas. Macht der eine mit dem stärcksten Wandertrab sich auf, so hat der andre siebenmeilen Stiefel [1] an, überschreitet ihn, und zwey Schritte des letzten, bezeichnen die Tagreise des ersten. 5 Dem sey wie ihm wolle,[2] dieser embsige [3] Wandrer bleibt unser Freund und unser Geselle, wenn wir die gigantischen Schritte ienes, anstaunen und ehren, seinen Fustapfen folgen, seine Schritte mit den uns- rigen abmessen. 10

Auf die Reise, meine Herren! die Betrachtung so eines einzigen Tapfs,[4] macht unsre Seele feuriger und grösser, als das Angaffen eines tausendfüsigen könig- lichen Einzugs.

Wir ehren heute das Andencken des grössten 15 Wandrers, und thun uns dadurch selbst eine Ehre an. Von Verdiensten die wir zu schätzen wissen, haben wir den Keim in uns.

Erwarten Sie nicht, das ich viel und ordentlich schreibe, Ruhe der Seele ist kein Festtagskleid; und 20 noch zur Zeit habe ich wenig über Schäckespearen gedacht; geahndet, empfunden wenns hoch kam,[5] ist das höchste wohin ich's habe bringen können. Die erste Seite die ich in ihm las, machte mich auf Zeit- lebens ihm eigen,[6] und wie ich mit dem ersten Stücke 25 fertig war, stund ich wie ein blindgebohrner, dem eine Wunderhand das Gesicht [7] in einem Augenblicke schenckt. Ich erkannte, ich fühlte auf's lebhaffteste meine Existenz um eine Unendlichkeit erweitert,[8] alles

[1] siebenmeilen Stiefel *seven-league boots*
[2] Dem sey wie ihm wolle *Be that as it may*
[3] embsige = emsige *busy, active*
[4] *footstep*
[5] wenns hoch kam *at the most, at best*
[6] machte mich . . . ihm eigen *made me devoted to him*
[7] *sight*
[8] um eine Unendlichkeit erweitert *expanded by an eternity*

war mir neu, unbekannt, und das ungewohnte Licht
machte mir Augenschmerzen. Nach und nach lernt [9]
ich sehen, und, danck sey meinem erkenntlichen
Genius,[10] ich fühle noch immer lebhafft was ich
5 gewonnen habe.

Ich zweifelte keinen Augenblick dem regelmäsigen
Theater [11] zu entsagen. Es schien mir die Einheit des
Orts so kerckermäsig ängstlich, die Einheiten der
Handlung und der Zeit lästige Fesseln unsrer Ein-
10 bildungskrafft. Ich sprang in die freye Lufft, und fühlte
erst dass ich Hände und Füsse hatte. Und ietzo [12] da ich
sahe,[13] wieviel Unrecht mir die Herrn der Regeln in
ihrem Loch angethan haben, wie viel freye Seelen noch
drinne sich krümmen, so wäre mir mein Herz geborsten
15 wenn ich ihnen nicht Fehde angekündigt hätte, und
nicht täglich suchte ihre Türne [14] zusammen zu
schlagen.

Das griechische Theater, das die Franzosen zum
Muster nahmen, war, nach innrer und äuserer Be-
20 schaffenheit, so, dass eher ein Marquis den Alcibiades [15]
nachahmen könnte, als es Corneillen [16] dem Sophokles [17]
zu folgen möglich wär.

[9] lernt = lernte
[10] Genius = Schutzgeist
[11] dem regelmäsigen Theater drama which observed the unities of time, place, and action in imitation of the classical French theater.
[12] ietzo = jetzt
[13] sahe = sah
[14] Türne = Türme
[15] Alcibiades (450–404 B.C.), prominent Athenian of great beauty and talent and questionable morality. Thucydides recounts his unscrupulous political career during the Peloponnesian War.
[16] Pierre Corneille (1606–1684), French dramatist. Among his best tragedies are: Le Cid, Horace, and Polyeucte. Lessing, in his Hamburgische Dramaturgie (1768–1769), attacks rather vehemently Corneille's interpretation of Aristotle's definition of tragedy.
[17] Sophocles (496?–406 B.C.) is thought to have written some 120 plays. Among those still extant his greatest tragedy is Oedipus the King. The power of his dramas is matched only by Shakespeare.

Erst Intermezzo des Gottesdiensts,[18] dann feyerlich politisch, zeigte das Trauerspiel einzelne grose Handlungen der Väter, dem Volck,[19] mit der reinen Einfalt der Vollkommenheit, erregte ganze grose Empfindungen in den Seelen, denn es war selbst ganz, und 5 gros.

Und in was für Seelen!

Griechischen! Ich kann mich nicht erklären was das heisst, aber ich fühls, und berufe mich der Kürze halber auf Homer und Sophokles und Theokrit [20] die habens 10 mich fühlen gelehrt.

Nun sag ich geschwind hinten drein: Französgen,[21] was willst du mit der griechischen Rüstung, sie ist dir zu gros und zu schweer.

Drum sind auch alle Französche Trauerspiele Paro- 15 dien von sich selbst.[22]

Wie das so regelmäsig zugeht, und dass sie einander ähnlich sind wie Schue, und auch langweilig mit unter,[23] besonders in genere [24] im vierten Ackt [25] das wissen die Herren leider aus der Erfahrung und ich 20 sage nichts davon.

Wer eigentlich zuerst drauf gekommen ist die Haupt

[18] **Intermezzo des Gottesdiensts** Goethe is speaking here of the ancient Greek religious rites.

[19] Construe: . . . **zeigte das Trauerspiel dem Volck einzelne grose Handlungen der Väter**

[20] **Theocritus** (flourished ca. 270 B.C.), Syracusan writer of pastoral poetry. Goethe probably has in mind here his *Adoniazusae,* an idyll containing a hymn to Adonis and Aphrodite.

[21] **Französgen** = **Französchen** a term of derision which means approximately: *"insignificant Frenchman."*

[22] To be taken as a generalization made in youthful fervor. Goethe was later to translate Voltaire's *Mahomet* and *Tancred,* lines from Racine's *Athalie,* and a section of Corneille's comedy *Le Menteur.*

[23] **mit unter** = **mitunter** *now and then*

[24] **in genere** *in general*

[25] We would normally expect here some mark of punctuation, perhaps a dash or a period.

und Staatsaktionen [26] auf's Theater zu bringen weiss
ich nicht, es giebt Gelegenheit für den Liebhaber zu
einer kritischen Abhandlung. Ob Schäkespearen die
Ehre der Erfindung gehört, zweifl' ich; genung, er
5 brachte diese Art, auf den Grad, der noch immer der
höchste geschienen hat, da so wenig Augen hinauf
reichen, und also schweer zu hoffen ist, einer könne ihn
übersehen, oder gar übersteigen. Schäkespear, mein
Freund, wenn du noch unter uns wärest ich könnte
10 nirgend leben als mit dir, wie gern wollt ich die Neben-
rolle eines Pylades [27] spielen, wenn du Orest [27] wärst,
lieber als die geehrwürdigte Person eines Oberpriesters
im Tempel zu Delphos.[28]

Ich will abbrechen meine Herren und morgen weiter
15 schreiben, denn ich binn in einem Ton, der Ihnen
vielleicht nicht so erbaulich ist als er mir von Herzen
geht.

Schäckespears Theater ist ein schöner Raritäten
Kasten,[29] in dem die Geschichte der Welt vor unsern
20 Augen an dem unsichtbaaren Faden der Zeit vorbey-

[26] **Haupt und Staatsaktionen** a term denoting in eighteenth-century
Germany the "blood and thunder plays" of a somewhat stereotyped
and popular character. Often these were sorry imitations of foreign
historical plays in which plot and action were of foremost importance.
This type of play degenerated further with the introduction of
"Hanswurst," a clown, who mostly provided extemporaneous comic
relief. The reform of the serious German theater had necessarily to
begin by ridding the stage of "Hanswurst." This had already been
accomplished by the time Goethe was writing the present essay.

[27] **Pylades . . . Orest** Pylades and Orestes, traditionally symbolic
of ideal friendship. They are characters in those Greek plays dramatiz-
ing the history of King Agamemnon of Mycenae, the leader of the
Greeks at Troy who, on his return home, was murdered by his wife
Clytemnestra. Orestes avenges his father by murdering his mother,
and on his various travels to achieve peace of mind ("purification
of blood-guilt") he is accompanied by the faithful Pylades.

[28] **Delphos** Delphi, where the Oracle of Apollo could be consulted.

[29] **Raritäten Kasten = Raritätenkasten** *peep show.* Although Goethe
uses this as a term of praise, some commentators, e.g., Herbert von
Einem, believe it indicates that Goethe still did not comprehend fully
the art of Shakespeare.

wallt. Seine Plane,[30] sind, nach dem gemeinen Styl zu
reden, keine Plane, aber seine Stücke, drehen sich alle
um den geheimen Punckt,—(den noch kein Philosoph
gesehen und bestimmt hat)—in dem das Eigenthüm-
liche unsres Ich's, die prätendirte Freyheit unsres 5
Wollens, mit dem nothwendigen Gang des Ganzen
zusammenstösst. Unser verdorbner Geschmack aber,
umnebelt dergestalt [31] unsere Augen, dass wir fast eine
neue Schöpfung nötig haben, uns aus dieser Finsternis
zu entwickeln.   10

Alle Franzosen und angesteckte Deutsche,[32] sogar
Wieland, haben sich bey dieser Gelegenheit, wie bey
mehreren wenig Ehre gemacht. Voltaire der von ieher
Profession machte, alle Maiestäten zu lästern, hat sich
auch hier, als ein ächter Tersit [33] bewiesen. Wäre ich 15
Ulysses; er sollte seinen Rücken unter meinem Scepter
verzerren.

Die meisten von diesen Herren, stosen auch besonders an seinen Carackteren an.

Und ich rufe Natur! Natur! nichts so Natur als 20
Schäkespears Menschen.

Da hab ich sie alle überm Hals.[34]

Lasst mir Lufft dass ich reden kann!

Er wetteiferte mit dem Prometheus,[35] bildete ihm

[30] *plots*
[31] *to such an extent*
[32] **angesteckte Deutsche** those Germans presumably "infected" with
the ideals of the regular classical French theater.
[33] **Tersit** Thersites, the only commoner in Homer's *Iliad*. In Book II
Thersites complains against the chieftains who are haranguing the
warriors, but he is beaten into silence by Odysseus (Ulysses), who
belabors his back. "Voltaire . . . hat sich auch hier, als ein ächter
Tersit bewiesen." Goethe expresses his annoyance at Voltaire's criticism
of Shakespeare. (Cf. *Lettres anglaises*, XVIII).
[34] **Da hab ich sie alle überm Hals** *then they all attack me*
[35] Prometheus, who created human beings out of clay and brought
mankind fire, was the son of the Titan Iapetus. For Goethe he was
the symbol of creative genius. That the true poet is "a second maker,
a just Prometheus under Jove" is a notion derived from the writings
of Anthony Ashley Cooper, Third Earl of Shaftesbury (1671–1713).

Zug vor Zug seine Menschen nach, nur in Colossali-
scher Grösse: darinn liegts dass wir unsre Brüder ver-
kennen; und dann belebte er sie alle mit dem Hauch
seines Geistes, er redet aus allen, und man erkennt ihre
5 Verwandtschafft.

Und was will sich unser Jahrhundert unterstehen
von Natur zu urteilen. Wo sollten wir sie her kennen,[36]
die wir von Jugend auf, alles geschnürt und geziert,[37]
an uns fühlen, und an andern sehen. Ich schäme mich
10 offt vor Schäkespearen, denn es kommt manchmal vor,
dass ich beym ersten Blick dencke, das hätt ich anders
gemacht! Hinten drein erkenn ich dass ich ein armer
Sünder binn, dass aus Schäkespearen die Natur
weissagt, und dass meine Menschen Seifenblasen sind
15 von Romanengrillen [38] aufgetrieben.

Und nun zum Schluss, ob ich gleich [39] noch nicht
angefangen habe.

Das was edle Philosophen von der Welt gesagt haben,
gilt auch von Schäkespearen, das was wir bös nennen,
20 ist nur die andre Seite vom Guten,[40] die so nothwendig
zu seiner Existenz, und in das Ganze gehört, als Zona
torrida [41] brennen, und Lapland einfrieren muss, dass
es einen gemäsigten Himmelsstrich gebe. Er führt uns
durch die ganze Welt, aber wir verzärtelte unerfahrne
25 Menschen schreien bey ieder fremden Heuschrecke die
uns begegnet: Herr, er will uns fressen.

Auf meine Herren! trompeten Sie mir alle edle
Seelen, aus dem Elysium, des sogenanndten guten Ge-

---

[36] Construe: Woher sollten wir sie kennen . . .
[37] geschnürt und geziert *laced up and foppish*
[38] Romanengrillen *strange notions out of novels*
[39] ob ich gleich = obgleich ich
[40] This idea appears prominently in *Faust I* (ll. 1336–37), where
Mephistopheles identifies himself as: "Ein Teil von jener Kraft, die
stets das Böse will und stets das Gute schafft."
[41] Zona torrida *the torrid zone*

schmacks,[42] wo sie schlaftruncken, in langweiliger
Dämmerung halb sind, halb nicht sind, Leidenschafften
im Herzen und kein Marck in den Knochen haben; und
weil sie nicht müde genug zu ruhen, und doch zu faul
sind um tähtig zu seyn, ihr Schatten Leben zwischen 5
Myrten und Lorbeergebüschen verschlendern und vergähnen.[43]

[42] **guter Geschmack** the common target of the *Stürmer und
Dränger,* who wished to replace *"good taste"* with *"die Natur"* as the
aesthetic basis of *belles lettres.*

[43] . . . **ihr Schatten Leben zwischen Myrten und Lorbeergebüschen
verschlendern und vergähnen** This is a barb against the aristocratic
pastimes of the age. In rococo surroundings ladies and gentlemen of
the court acted out the parts of shepherds and shepherdesses in the
pastoral poetry then so popular in "polite circles."

VON DEUTSCHER BAUKUNST

IN MAY OF 1773 a little book edited by J. G. Herder appeared in Hamburg under the title *Von deutscher Art und Kunst*. It contained Goethe's *Von deutscher Baukunst*, Herder's own two essays on Ossian and Shakespeare, the introduction to Justus Möser's *Osnabrückische Geschichte* (1768), and a translation of an essay on Gothic architecture by the Italian Paolo Frisi (1728–1784).

This publication was significant in that it laid before the public in especially compelling language the literary and aesthetic ideals of the *Sturm und Drang* writers.

Von deutscher Baukunst is no more objective than *Zum Schäkespears Tag*. Both are prose rhapsodies glorifying national art and the creations of original genius, and both denigrate the French influence that had so strongly affected previous generations of writers and artists.

Goethe's identification of the terms "Gothic" and "German" is historically untenable, and his assumption that the Cathedral of Strassburg was built by one man overlooks the fact that the work on this church extended over a period of four centuries (ca. 1015–1435). Of course, we do not read this essay for whatever factual information it may impart, but rather to understand better some of the ideas that ultimately led to the writing of Germany's greatest literature.

VON DEUTSCHER
BAUKUNST

D. M. Ervini a Steinbach.[1] 1773 [2]

ALS ICH auf deinem Grabe herumwandelte, edler
Erwin, und den Stein suchte, der mir deuten sollte:
ANNO DOMINI 1318. XVI. KAL. FEBR. OBIIT MAGIS-
TER ERVINUS, GUBERNATOR FABRICAE ECCLE-
5 SIAE ARGENTINENSIS,[3] und ich ihn nicht finden,
keiner deiner Landsleute mir ihn zeigen konnte, daß
sich meine Verehrung deiner [4] an der heiligen Stätte er-

[1] **D. M. Ervini a Steinbach** *to the departed spirit of Erwin von
Steinbach* (D. M. = divis manibus)

[2] **1773** Composition of this essay actually began in 1771, and it
was first published anonymously in Frankfurt am Main in 1772.

[3] **ANNO DOMINI . . . ARGENTINENSIS** *Master Erwin, building director of the Strassburg Cathedral, died on January 17, 1318.*
Goethe found this epitaph in a book about Strassburg and its cathedral.
As he himself says, he could not find the gravestone, but it was found
again in 1816.

[4] **meine Verehrung deiner** *my veneration of you*

gossen hätte, da ward ich tief in die Seele betrübt, und mein Herz, jünger, wärmer, töriger und besser als jetzt, gelobte [5] dir ein Denkmal, wenn ich zum ruhigen Genuß meiner Besitztümer gelangen würde, von Marmor oder Sandsteinen, wie ich's vermöchte. 5

Was braucht's dir Denkmal! [6] Du hast dir das herrlichste errichtet; und kümmert die Ameisen, die drum krabbeln, dein Name nichts, hast du gleiches Schicksal mit dem Baumeister, der Berge auftürmte in die Wolken.[7] 10

Wenigen ward es gegeben, einen Babelgedanken in der Seele zu zeugen, ganz, groß, und bis in den kleinsten Teil notwendig schön, wie Bäume Gottes; wenigern, auf tausend bietende Hände zu treffen, Felsengrund zu graben, steile Höhen drauf zu zaubern, und dann ster-15 bend ihren Söhnen zu sagen: ich bleibe bei euch, in den Werken meines Geistes, vollendet das Begonnene in die Wolken.[8]

Was braucht's dir Denkmal! und von mir! Wenn der Pöbel heilige Namen ausspricht, ist's Aberglaube oder 20 Lästerung. Dem schwachen Geschmäckler wird's immer schwindlen an deinem Koloß,[9] und ganze Seelen [10] werden dich erkennen ohne Deuter.

[5] *solemnly promised*
[6] **Was braucht's dir Denkmal!** *Why do you need a monument anyway?*
[7] **dem Baumeister, der Berge auftürmte in die Wolken** It is not clear whether Goethe is referring to the building of the Tower of Babel (in Gen. 11. 9.) or to the attempt by the giants Otus and Ephialtes, figures in Greek mythology, to pile the mountain Ossa on Olympus, and Pelion on Ossa.
[8] **vollendet das Begonnene in die Wolken** *complete what I have begun so that it reaches into the clouds*
[9] **Dem schwachen Geschmäckler . . . Koloß** *The man with insipid (rococo) tastes will always suffer vertigo when faced with your colossus.*
[10] **ganze Seelen** opposite of "dem schwachen Geschmäckler," therefore, those whose tastes are in accord with the aesthetics of the *Stürmer und Dränger.*

Also nur, trefflicher Mann, eh ich mein geflicktes
Schiffchen wieder auf den Ozean wage,[11] wahrschein-
licher dem Tod als dem Gewinst entgegen, siehe hier in
diesem Hain, wo ringsum die Namen meiner Geliebten
5 grünen, schneid' ich den deinigen in eine deinem Turm
gleich schlank aufsteigende Buche, hänge an seinen
vier Zipfeln dies Schnupftuch mit Gaben dabei auf.
Nicht ungleich jenem Tuche, das dem heiligen Apostel
aus den Wolken herabgelassen worden, voll reiner und
10 unreiner Tiere; [12] so auch voll Blumen, Blüten, Blätter,
auch wohl dürres Gras und Moos und über Nacht ge-
schossene Schwämme,[13] das alles ich auf dem Spazier-
gang durch unbedeutende Gegenden, kalt [14] zu meinem
Zeitvertreib botanisierend, eingesammelt, dir nun zu
15 Ehren [15] der Verwesung weihe.[16]

Es ist im kleinen Geschmack, sagt der Italiener, und
geht vorbei. Kindereien, lallt der Franzose nach, und
schnellt [17] triumphierend auf seine Dose à la Grecque.[18]
Was habt ihr getan, daß ihr verachten dürft?

20   Hat nicht der seinem Grab entsteigende Genius [19] der
Alten den deinen gefesselt, Welscher! [20] Krochst an den
mächtigen Resten Verhältnisse [21] zu betteln, flicktest

[11] eh ich . . . wage *before I venture forth again on life's ocean
in my leaky boat (i.e., in the present unsatisfactory state of my life).*
Goethe presumably began this essay when he was having his affair
with Friederike Brion in Sesenheim.
[12] jenem Tuche . . . voll reiner und unreiner Tiere allusion to the
Bible (Acts 10. 9.–16.)
[13] *mushrooms*
[14] *indifferently*
[15] dir . . . zu Ehren *in your honor*
[16] der Verwesung weihe *doom to decomposition*
[17] schnellt *flicks his finger* (here a gesture of contempt)
[18] Dose à la Grecque *snuff-box fashioned in a Greek design.* Such
aesthetic incongruity is offensive to Goethe, who is writing here in
support of indigenous art.
[19] Genius here: *spirit*
[20] Welscher a denigrating term denoting the Latin peoples, but
especially the French and Italians
[21] *proportions* (in the architectural sense)

aus den heiligen Trümmern dir Lusthäuser zusammen,
und hältst dich für Verwahrer der Kunstgeheimnisse,
weil du auf Zoll und Linien [22] von Riesengebäuden
Rechenschaft geben kannst. Hättest du mehr gefühlt
als gemessen, wäre der Geist der Massen über dich 5
gekommen, die du anstauntest, du hättest nicht so
nur nachgeahmt, weil sie's taten und es schön ist;
notwendig und wahr hättest du deine Plane geschaffen,
und lebendige Schönheit wäre bildend [23] aus ihnen
gequollen.   10

So hast du deinen Bedürfnissen einen Schein von
Wahrheit und Schönheit aufgetüncht.[24] Die herrliche
Wirkung der Säulen traf dich, du wolltest auch ihrer
brauchen und mauertest sie ein, wolltest auch Säulen-
reihen haben, und umzirkeltest den Vorhof der Peters- 15
kirche mit Marmorgängen,[25] die nirgends hin noch
her führen, daß Mutter Natur, die das Ungehörige und
Unnötige verachtet und haßt, deinen Pöbel trieb, jene
Herrlichkeit zu öffentlichen Kloaken [26] zu prostituieren,
daß ihr die Augen wegwendet und die Nasen zuhaltet 20
vorm Wunder der Welt.

Das geht nun alles seinen Gang: die Grille des
Künstlers dient dem Eigensinne des Reichen; der
Reisebeschreiber gafft, und unsere schöne Geister, genannt Philosophen, erdrechseln aus protoplastischen 25
Märchen Prinzipien und Geschichte der Künste bis
auf den heutigen Tag, und echte Menschen ermordet
der böse Genius im Vorhof der Geheimnisse.

[22] auf Zoll und Linien *exactly, down to the last detail*
[23] bildend *assuming a form congruent with its nature*
[24] einen Schein auftünchen *to give the appearance*
[25] umzirkeltest . . . mit Marmorgängen The colonnades of the
gigantic square in Rome known as the Piazza of St. Peter's are the
inspired creation of Giovanni Lorenzo Bernini (1598–1680), perhaps
the most celebrated artist and architect of the seventeenth century.
Goethe was only superficially acquainted with Bernini's work and
was later to revise his opinions about it considerably.
[26] *sewers*

Schädlicher als Beispiele sind dem Genius [27] Prinzipien. Vor ihm mögen einzelne Menschen einzelne
Teile bearbeitet haben. Er ist der erste, aus dessen
Seele die Teile, in Ein ewiges Ganze zusammen ge-
5 wachsen, hervortreten. Aber Schule und Principium
fesselt alle Kraft der Erkenntnis und Tätigkeit. Was
soll uns das, du neufranzösischer philosophierender
Kenner,[28] daß der erste zum Bedürfnis erfindsame
Mensch vier Stämme einrammelte, vier Stangen drüber
10 verband, und Äste und Moos drauf deckte? Daraus
entscheidest du das Gehörige unserer heurigen [29] Bedürfnisse, eben als wenn du dein neues Babylon mit
einfältigem patriarchalischem Hausvatersinn regieren
wolltest.

15   Und es ist noch dazu falsch, daß deine Hütte die
erstgeborne der Welt ist. Zwei an ihrem Gipfel sich
kreuzende Stangen vornen, zwei hinten und eine Stange
quer über zum First ist und bleibt, wie du alltäglich
an Hütten der Felder und Weinberge erkennen kannst,
20 eine weit primävere [30] Erfindung,[31] von der du doch

[27] Genius = Genie

[28] **du neufranzösischer philosophierender Kenner** the Jesuit Marc
Antoine Laugier (1703–1769) who, in his *Essais sur l'architecture*
(Paris, 1753), advances the idea that the basic form of all houses
was the square hut constructed with a perpendicular post at each
corner.

[29] *present day*

[30] *"more primeval"*

[31] An excellent illustration of the essential unity of Goethe's multi-
farious intellectual preoccupations and his literary artistry is offered
by the fact that in his drama fragment *Prometheus* of 1773 he once
again, in poetic language, expresses his theory about the nature of
the most primitive human dwelling. Prometheus gives man the following instructions in the second act:

Erst ab die Äste!—	Biss zur Erde.
Dann hier rammle diesen	Verbunden und verschlungen die
Schief in den Boden hier,	Und Rasen rings umher,
Und diesen hier so gegenüber.	Und Äste drüber mehr,
Und oben verbinde sie—	Biss dass kein Sonnenlicht
Dann wieder zwey hier hinten hin.	Kein Regen, Wind durchdringe!
Und oben einen queer darüber—	Hier lieber Sohn ein Schutz und
Nun die Äste herab von oben	eine Hütte.

nicht einmal Principium für deine Schweinställe [32] abstrahieren könntest.

So vermag keiner deiner Schlüsse sich zur Region der Wahrheit zu erheben, sie schweben alle in der Atmosphäre deines Systems. Du willst uns lehren was wir 5 brauchen sollen, weil das, was wir brauchen, sich nach deinen Grundsätzen nicht rechtfertigen läßt.

Die Säule liegt dir sehr am Herzen,[33] und in andrer Weltgegend wärst du Prophet. Du sagst: die Säule ist der erste, wesentliche Bestandteil des Gebäudes, und 10 der schönste. Welche erhabene Eleganz der Form, welche reine mannigfaltige Größe, wenn sie in Reihen da stehn! Nur hütet euch sie ungehörig zu brauchen! ihre Natur ist, freizustehn. Wehe den Elenden, die ihren schlanken Wuchs an plumpe Mauern ge- 15 schmiedet haben! [34]

Und doch dünkt mich, lieber Abt, hätte die öftere Wiederholung dieser Unschicklichkeit des Säuleneinmauerns, daß die Neuern sogar antiker Tempel Intercolumnia [35] mit Mauerwerk ausstopften, dir einiges 20 Nachdenken erregen können. Wäre dein Ohr nicht für Wahrheit taub, diese Steine würden sie dir gepredigt haben.

Säule ist mitnichten ein Bestandteil unsrer Wohnungen; sie widerspricht vielmehr dem Wesen all unsrer 25 Gebäude. Unsre Häuser entstehen nicht aus vier Säulen in vier Ecken; sie entstehen aus vier Mauern auf vier Seiten, die statt aller Säulen sind, alle Säulen ausschließen, und wo ihr sie anflickt, sind sie belastender

[32] *pigsties.* The use of such a crude expression in the language of the *Stürmer und Dränger* was intended to shock the more effeminate sensibilities and the refined tastes of the older generation.

[33] **Die Säule . . . am Herzen** *You have a special interest in the* [*architectural*] *column.*

[34] Here again Goethe expresses a conviction which he was to drop in later life.

[35] **antiker Tempel Intercolumnia** *the spaces between the columns of ancient temples*

Überfluß. Ebendas gilt von unsern Palästen und Kirchen, wenige Fälle ausgenommen, auf die ich nicht zu
achten brauche.

Eure Gebäude stellen euch also Flächen dar, die,
5 je weiter sie sich ausbreiten, je kühner sie gen [36] Himmel steigen, mit desto unerträglicherer Einförmigkeit
die Seele unterdrücken müssen! Wohl! wenn uns der
Genius nicht zu Hülfe käme, der Erwinen von Steinbach eingab: [37] vermannigfaltige die ungeheure Mauer,
10 die du gen Himmel führen sollst, daß sie aufsteige
gleich einem hocherhabnen, weitverbreiteten Baume
Gottes, der mit tausend Ästen, Millionen Zweigen, und
Blättern wie der Sand am Meer, ringsum der Gegend
verkündet die Herrlichkeit des Herrn, seines Meisters.
15 Als ich das erstemal nach dem Münster [38] ging,
hatt ich den Kopf voll allgemeiner Erkenntnis guten
Geschmacks. Auf Hörensagen ehrt ich die Harmonie
der Massen, die Reinheit der Formen, war ein abge-
sagter [39] Feind der verworrnen Willkürlichkeiten goti-
20 scher Verzierungen. Unter die Rubrik Gotisch, gleich
dem Artikel eines Wörterbuchs,[40] häufte ich alle
synonymische Mißverständnisse, die mir von Unbe-
stimmtem, Ungeordnetem, Unnatürlichem, Zusammen-
gestoppeltem,[41] Aufgeflicktem,[42] Überladenem jemals
25 durch den Kopf gezogen waren. Nicht gescheiter als
ein Volk, das [43] die ganze fremde Welt barbarisch
nennt, hieß alles gotisch, was nicht in mein System

---

[36] gen = gegen
[37] eingab *inspired* [with the idea that]
[38] *minster*
[39] *declared*
[40] In Johann Georg Sulzer's *Allgemeine Theorie der schönen
Künste,* Part I (1771), the term "Gotisch" is said to be a word of
indefinite connotation often used to designate barbarian taste.
[41] **zusammenstoppeln** *to piece together*
[42] **aufflicken** *to patch over*
[43] nominative case

paßte, von dem gedrechselten, bunten Puppen- und Bilderwerk an, womit unsre bürgerliche Edelleute ihre Häuser schmücken, bis zu den ernsten Resten der älteren deutschen Baukunst, über die ich, auf Anlaß einiger abenteuerlichen [44] Schnörkel,[45] in den allge- 5 meinen Gesang stimmte: "Ganz von Zierat erdrückt!" und so graute mir's im Gehen vorm Anblick eines miß- geformten krausborstigen [46] Ungeheuers.

Mit welcher unerwarteten Empfindung überraschte mich der Anblick, als ich davor trat! Ein ganzer, großer 10 Eindruck füllte meine Seele, den, weil er aus tausend harmonierenden Einzelnheiten bestand, ich wohl schmecken und genießen, keineswegs aber erkennen und erklären konnte. Sie sagen, daß es also [47] mit den Freuden des Himmels sei, und wie oft bin ich zurück- 15 gekehrt, diese himmlisch-irdische Freude zu genießen, den Riesengeist unsrer ältern Brüder in ihren Werken zu umfassen. Wie oft bin ich zurückgekehrt, von allen Seiten, aus allen Entfernungen, in jedem Lichte des Tags, zu schauen seine Würde und Herrlichkeit. 20 Schwer ist's dem Menschengeist, wenn seines Bruders Werk so hoch erhaben ist, daß er nur beugen und anbeten muß. Wie oft hat die Abenddämmerung mein durch forschendes Schauen ermattetes Aug mit freundlicher Ruhe geletzt,[48] wenn durch sie die un- 25 zähligen Teile zu ganzen Massen schmolzen, und nun diese, einfach und groß, vor meiner Seele standen, und meine Kraft sich wonnevoll entfaltete, zugleich zu genießen und zu erkennen. Da offenbarte sich mir, in leisen Ahndungen, der Genius des großen Werk- 30

[44] *fantastic, extravagant*
[45] *volutes, scrolls*
[46] *curly-bristled*
[47] *thus, that way*
[48] *refreshed*

meisters. Was staunst du,[49] lispelt' er mir entgegen.
Alle diese Massen waren notwendig, und siehst du sie
nicht an allen älteren Kirchen meiner Stadt? Nur ihre
willkürliche Größen hab ich zum stimmenden Verhält-
5 nis [50] erhoben. Wie über dem Haupteingang, der zwei
kleinere zu'n Seiten beherrscht, sich der weite Kreis
des Fensters öffnet, der dem Schiffe [51] der Kirche
antwortet und sonst nur Tageloch [52] war, wie hoch
drüber der Glockenplatz die kleineren Fenster forderte!
10 das all war notwendig, und ich bildete es schön. Aber
ach, wenn ich durch die düstren erhabnen Öffnungen
hier zur Seite schwebe, die leer und vergebens da zu
stehn scheinen. In ihre kühne schlanke Gestalt hab
ich die geheimnisvollen Kräfte verborgen, die jene
15 beiden Türme hoch in die Luft heben sollten, deren,
ach, nur einer traurig da steht, ohne den fünfgetürmten
Hauptschmuck, den ich ihm bestimmte, daß ihm und
seinem königlichen Bruder die Provinzen umher hul-
digten. Und so schied er von mir, und ich versank in
20 teilnehmende Traurigkeit, bis die Vögel des Morgens,
die in seinen tausend Öffnungen wohnen, der Sonne
entgegen jauchzten, und mich aus dem Schlummer
weckten. Wie frisch leuchtet' er im Morgenduftglanz
mir entgegen, wie froh konnt ich ihm meine Arme
25 entgegen strecken, schauen die großen harmonischen
Massen, zu unzählig kleinen Teilen belebt: wie in
Werken der ewigen Natur, bis aufs geringste Zäser-
chen,[53] alles Gestalt, und alles zweckend zum Ganzen;
wie das festgegründete ungeheure Gebäude sich leicht
30 in die Luft hebt; wie durchbrochen alles und doch für
die Ewigkeit. Deinem Unterricht dank ich's, Genius, daß

---

[49] Was staunst du *why are you amazed?*
[50] zum stimmenden Verhältnis *to a harmonizing proportion*
[51] *nave*
[52] *opening for admitting light*
[53] *fibril*

mir's nicht mehr schwindelt an deinen Tiefen, daß in
meine Seele ein Tropfen sich senkt der Wonneruh [54]
des Geistes, der auf solch eine Schöpfung herabschauen
und gottgleich sprechen kann: es ist gut!

Und nun soll ich nicht ergrimmen, heiliger Erwin, [5]
wenn der deutsche Kunstgelehrte, auf Hörensagen
neidischer Nachbarn, seinen Vorzug verkennt,[55] dein
Werk mit dem unverstandnen Worte gotisch ver-
kleinert, da er Gott danken sollte, laut verkündigen zu
können: das ist deutsche Baukunst, da der Italiener [10]
sich keiner eignen rühmen darf, viel weniger der
Franzos.[56] Und wenn du dir selbst diesen Vorzug nicht
zugestehen willst, so erweis uns, daß die Goten schon
wirklich so gebaut haben, wo sich einige Schwierigkeiten finden werden. Und, ganz am Ende, wenn du [15]
nicht dartust, ein Homer sei schon vor dem Homer
gewesen, so lassen wir dir gerne die Geschichte kleiner
gelungner und mißlungner Versuche, und treten an-
betend vor das Werk des Meisters, der zuerst die
zerstreuten Elemente in ein lebendiges Ganze zusam- [20]
men schuf. Und du, mein lieber Bruder im Geiste des
Forschens nach Wahrheit und Schönheit, verschließ
dein Ohr vor allem Wortgeprahle [57] über bildende
Kunst, komm, genieße und schaue.[58] Hüte dich, den
Namen deines edelsten Künstlers zu entheiligen, und [25]
eile herbei, daß du schauest sein treffliches Werk.
Macht es dir einen widrigen Eindruck, oder keinen, so

[54] *ecstatic stillness*
[55] *fails to appreciate*
[56] As we know today, both parts of Goethe's assertion are wrong,
for 1) Gothic architecture is not a "pure" form in the sense intended
here; and 2) there is no basis in history for the identification of this
style with Germany, even though fine examples were erected in that
country. Cf. also the introduction to this essay.
[57] *long-winded bragging*
[58] **verschließ dein Ohr . . . und schaue** Such belittling of rational
scholarship ("Wortgeprahle") in favor of intuition and emotion is,
again, typical of *Sturm und Drang*.

gehab dich wohl, laß einspannen, und so weiter nach Paris.[59]

Aber zu dir, teurer Jüngling, gesell ich mich, der du bewegt dastehst, und die Widersprüche nicht vereinigen
5 kannst, die sich in deiner Seele kreuzen, bald die unwiderstehliche Macht des großen Ganzen fühlst, bald mich einen Träumer schiltst, daß ich da Schönheit sehe, wo du nur Stärke und Rauheit siehst. Laß einen Mißverstand uns nicht trennen, laß die weiche Lehre
10 neuerer Schönheitelei [60] dich für das bedeutende Rauhe nicht verzärteln, daß nicht zuletzt deine kränkelnde Empfindung nur eine unbedeutende Glätte [61] ertragen könne. Sie wollen euch glauben machen, die schönen Künste seien entstanden aus dem Hang, den wir haben
15 sollen, die Dinge rings um uns zu verschönern. Das ist nicht wahr! Denn in dem Sinne, darin es wahr sein könnte, braucht wohl der Bürger und Handwerker die Worte, kein Philosoph.

Die Kunst ist lange bildend, eh sie schön ist,[62] und
20 doch so wahre, große Kunst, ja oft wahrer und größer als die schöne selbst. Denn in dem Menschen ist eine bildende Natur, die gleich sich tätig beweist, wann seine Existenz gesichert ist. Sobald er nichts zu sorgen und zu fürchten hat, greift der Halbgott, wirksam in seiner
25 Ruhe, umher nach Stoff, ihm seinen Geist einzuhauchen. Und so modelt der Wilde mit abenteuerlichen Zügen, gräßlichen Gestalten, hohen Farben, seine Kokos, seine Federn, und seinen Körper. Und laßt diese Bildnerei aus den willkürlichsten Formen bestehn, sie

---

[59] **Paris** to be understood here as the center of "good taste," i.e., that aesthetic attitude against which Goethe is directing this polemic.

[60] **Schönheitelei** *insipid notions of beauty*

[61] **eine unbedeutende Glätte** Rococo art, so its detractors have asserted, was concerned merely with the surface of things, not their essence.

[62] **Die Kunst ist lange bildend, eh sie schön ist** *Art undergoes a long process of cultivation before it produces beauty*

wird ohne Gestaltsverhältnis zusammenstimmen, denn
Eine Empfindung schuf sie zum charakteristischen
Ganzen.

Diese charakteristische Kunst ist nun die einzige
wahre. Wenn sie aus inniger, einiger, eigner, selbstän- 5
diger Empfindung um sich wirkt, unbekümmert, ja
unwissend alles Fremden, da mag sie aus rauher
Wildheit, oder aus gebildeter Empfindsamkeit geboren
werden, sie ist ganz und lebendig. Da seht ihr bei
Nationen und einzelnen Menschen dann unzählige 10
Grade. Je mehr sich die Seele erhebt zu dem Gefühl der
Verhältnisse, die allein schön und von Ewigkeit sind,
deren Hauptakkorde man beweisen, deren Geheimnisse
man nur fühlen kann, in denen sich allein das Leben
des gottgleichen Genius in seligen Melodien herum- 15
wälzt, je mehr diese Schönheit in das Wesen eines
Geistes eindringt, daß sie mit ihm entstanden zu sein
scheint, daß ihm nichts genugtut als sie, daß er nichts
aus sich wirkt als sie, desto glücklicher ist der Künstler,
desto herrlicher ist er, desto tiefgebeugter stehen wir 20
da und beten an [63] den Gesalbten Gottes.

Und von der Stufe, auf welche Erwin gestiegen ist,
wird ihn keiner herabstoßen. Hier steht sein Werk,
tretet hin und erkennt das tiefste Gefühl von Wahrheit und Schönheit der Verhältnisse, würkend [64] aus 25
starker, rauher, deutscher Seele, auf dem eingeschränkten düstern Pfaffenschauplatz des medii aevi.[65]

Und unser aevum? hat auf seinen Genius verziehen,
hat seine Söhne umhergeschickt, fremde Gewächse
zu ihrem Verderben einzusammeln. Der leichte Fran- 30
zose, der noch weit ärger stoppelt, hat wenigstens eine

[63] an not a preposition governing **Gesalbten,** but the separable
prefix of the verb **anbeten**
[64] würkend = wirkend
[65] medii aevi *Middle Ages.* When he wrote this Goethe evidently
did not yet understand the relation of medieval art to the Church.

Art von Witz, seine Beute [66] zu Einem Ganzen zu fügen,
er baut jetzt aus griechischen Säulen und deutschen
Gewölbern seiner Magdalene einen Wundertempel.[67]
Von einem unserer Künstler, als er ersucht ward, zu
5 einer altdeutschen Kirche ein Portal zu erfinden, hab
ich gesehen ein Modell fertigen, stattlichen antiken
Säulenwerks.

Wie sehr unsre geschminkte Puppenmaler [68] mir
verhaßt sind, mag ich nicht deklamieren. Sie haben
10 durch theatralische Stellungen, erlogne Teints, und
bunte Kleider die Augen der Weiber gefangen. Männlicher Albrecht Dürer,[69] den die Neulinge anspötteln,
deine holzgeschnitzteste Gestalt [70] ist mir willkommner.

Und ihr selbst, treffliche Menschen, denen die
15 höchste Schönheit zu genießen gegeben ward, und
nunmehr herabtretet, zu verkünden eure Seligkeit,
ihr schadet dem Genius. Er will auf keinen fremden
Flügeln, und wären's die Flügel der Morgenröte,[71]
empor gehoben und fortgerückt werden. Seine eigne
20 Kräfte sind's, die sich im Kindertraum entfalten, im
Jünglingsleben bearbeiten, bis er stark und behend wie
der Löwe des Gebürges auseilt auf Raub. Drum erzieht
sie meist die Natur, weil ihr Pädagogen ihm nimmer
den mannigfaltigen Schauplatz erkünsteln könnt, stets

---

[66] **Beute** *booty.* Goethe uses this word to contrast the eclectic
character of French architecture with what he supposes to be purely
indigenous "German art."

[67] **er baut . . . einen Wundertempel** No one knows for certain
which edifice is meant here.

[68] **unsre geschminkte Puppenmaler** *our painters of prettily made-up
dolls*

[69] **Albrecht Dürer** (1471–1528). German painter and engraver. At
the time Goethe composed this essay he was becoming interested in
personalities from Dürer's age such as Hans Sachs, Ulrich von Hutten,
Götz von Berlichingen, and of course, Faust.

[70] **deine holzgeschnitzteste Gestalt** *a figure most typical of your
woodcuts*

[71] **die Flügel der Morgenröte** an expression taken from the Bible
(Ps. 139.9: "If I take the wings of the morning. . . .")

im gegenwärtigen Maß seiner Kräfte zu handeln und
zu genießen.

Heil dir, Knabe! der du mit einem scharfen Aug für
Verhältnisse geboren wirst, dich mit Leichtigkeit an
allen Gestalten zu üben. Wenn denn nach und nach 5
die Freude des Lebens um dich erwacht, und du
jauchzenden Menschengenuß nach Arbeit, Furcht und
Hoffnung fühlst, das mutige Geschrei des Winzers, wenn
die Fülle des Herbsts seine Gefäße anschwellt, den
belebten Tanz des Schnitters, wenn er die müßige 10
Sichel hoch in den Balken geheftet hat, wenn dann
männlicher die gewaltige Nerve der Begierden und
Leiden in deinem Pinsel lebt, du gestrebt und gelitten
genug hast, und genug genossen, und satt bist irdischer
Schönheit, und wert bist auszuruhen in dem Arme der 15
Göttin, wert an ihrem Busen zu fühlen, was den ver-
götterten Herkules neu gebar—nimm ihn auf, himm-
lische Schönheit,⁷² du Mittlerin zwischen Göttern und
Menschen, und mehr als Prometheus leit' er die Seligkeit der Götter auf die Erde.   20

⁷² Hercules, having died a death by fire, was welcomed on Olympus
by Athene and given Hera's daughter Hebe as his wife. To Goethe he
was symbolic of a heroic life full of great deeds.

ÜBER DEN GRANIT

ON JUNE 11, 1776, Goethe became a member of Duke Karl August's privy council. This was a fateful step, for the burdens of that office drew him ever further from literary production. And yet, there resulted a most fruitful compensation in that his duties led him to study matters with some of which he had had, until that time, only a bare acquaintance. To be sure, science had attracted him before this, but the urgency of the tasks assigned him in the government impelled him to engage seriously in more concrete observation of the most diverse natural phenomena. Such studies left a precipitate in his poetry and prose works for which posterity is grateful.

Über den Granit, the beautiful essay fragment of 1784, is one product of his inquiries in the field of geology, which began in earnest when his duke requested him to examine the defunct mine in Ilmenau, a village in Karl August's domain, with a view to resuming its operation.

ÜBER DEN GRANIT

DER GRANIT war in den ältesten Zeiten schon eine merkwürdige Steinart und ist es zu den unsrigen noch mehr geworden. Die Alten kannten ihn nicht unter diesem Namen. Sie nannten ihn Syenit, von Syene, einem Orte an den Grenzen von Äthiopien. Die unge- 5 heuren Massen dieses Steines flößten Gedanken zu ungeheuren Werken den Ägyptiern ein. Ihre Könige errichteten der Sonne zu Ehren Spitzsäulen aus ihm, und von seiner rotgesprengten Farbe erhielt er in der Folge den Namen des Feurigbunten. Noch sind die 10 Sphinxe, die Memnonsbilder,[1] die ungeheuren Säulen die Bewunderung der Reisenden, und noch am heutigen

[1] **Memnonsbilder** *statues of Memnon,* actually of Amenophis III in Thebes (Egypt)

31

Tage hebt der ohnmächtige Herr von Rom [2] die Trümmer eines alten Obelisken in die Höhe, die seine allgewaltigen Vorfahren aus einem fremden Weltteile ganz herüberbrachten.

5 Die Neuern gaben dieser Gesteinsart den Namen, den sie jetzt trägt, von ihrem körnigen Ansehen,[3] und sie mußte in unsern Tagen erst einige Augenblicke der Erniedrigung dulden, ehe sie sich zu dem Ansehen, in dem sie nun bei allen Naturkündigern steht, emporhob.

10 Die ungeheuren Massen jener Spitzsäulen und die wunderbare Abwechslung ihres Kornes verleiten einen italienischen Naturforscher zu glauben, daß sie von den Ägyptiern durch Kunst aus einer flüssigen Masse zusammengehäuft seien.

15 Aber diese Meinung verwehte geschwind, und die Würde dieses Gesteins wurde von vielen trefflich beobachtenden Reisenden endlich befestigt. Jeder Weg in unbekannte Gebirge bestätigte die alte Erfahrung, daß das Höchste und das Tiefste Granit sei,[4] daß diese

20 Steinart, die man nun näher kennen und von andern unterscheiden lernte, die Grundfeste unserer Erde sei, worauf sich alle übrigen mannigfaltigen Gebirge hinauf gebildet.[5] In den innersten Eingeweiden der Erde ruht sie unerschüttert, ihre hohen Rücken steigen empor,

25 deren Gipfel nie das alles umgebende Wasser erreichte. So viel wissen wir von diesem Gesteine und wenig mehr. Aus bekannten Bestandteilen, auf eine geheimnisreiche Weise zusammengesetzt, erlaubt es

---

[2] **der ohnmächtige Herr von Rom** Pope Sixtus V, who in 1552 had re-erected the great obelisk brought from Egypt by Constantine the Great.

[3] **Granit,** like English *granite,* is derived from Latin granum = grain.

[4] **daß das Höchste und das Tiefste Granit sei** *that what makes up the highest peaks and extends farthest under the surface of the earth is granite*

[5] supply: **haben**

ebensowenig seinen Ursprung aus Feuer wie aus
Wasser herzuleiten.[6] Höchst mannigfaltig in der
größten Einfalt, wechselt seine Mischung ins Unzählige
ab. Die Lage und das Verhältnis seiner Teile, seine
Dauer, seine Farbe ändert sich mit jedem Gebirge, und 5
die Massen eines jeden Gebirges sind oft von Schritt
zu Schritte wieder in sich unterschieden, und im
ganzen doch wieder immer einander gleich. Und so
wird jeder, der den Reiz kennt, den natürliche Geheimnisse für den Menschen haben, sich nicht wundern, 10
daß ich den Kreis der Beobachtungen, den ich sonst
betreten, verlassen und mich mit einer recht leiden-
schaftlichen Neigung in diesen gewandt habe. Ich
fürchte den Vorwurf nicht, daß es ein Geist des Wider-
spruches sein müsse, der mich von Betrachtung und 15
Schilderung des menschlichen Herzens, des jüngsten,
mannigfaltigsten, beweglichsten, veränderlichsten,
erschütterlichsten Teiles der Schöpfung zu der Beobachtung des ältesten, festesten, tiefsten, unerschütterlich-
sten Sohnes der Natur [7] geführt hat. Denn man wird 20
mir gerne zugeben, daß alle natürlichen Dinge in einem
genauen Zusammenhange stehen, daß der forschende
Geist sich nicht gerne von etwas Erreichbarem ausschließen läßt. Ja man gönne mir, der ich [8] durch die
Abwechslungen der menschlichen Gesinnungen, durch 25
die schnellen Bewegungen derselben in mir selbst und

---

[6] At this time a lively dispute was going on between the Neptunists,
who considered water "the earth-shaping element," and the Vulcanists,
who thought fire, i.e., volcanic action, the most important factor.
Goethe endowed this controversy with undeserved immortality by
incorporating it in *Faust II*. In the "Klassische Walpurgisnacht" two
philosophers appear on the scene and argue violently (ll. 7855–56):

ANAXAGORAS
    Durch Feuerdunst ist dieser Fels zuhanden!
THALES
    Im Feuchten ist Lebendiges erstanden!
[7] **Sohnes der Natur** a personification of granite
[8] **der ich** *I who*

in andern manches gelitten habe und leide, die erhabene Ruhe, die jene einsame stumme Nähe der
großen, leise sprechenden Natur gewährt, und wer
davon eine Ahnung hat, folge mir.

5   Mit diesen Gesinnungen nähere ich mich euch, ihr
ältesten würdigsten Denkmäler der Zeit. Auf einem
hohen nackten Gipfel sitzend und eine weite Gegend
überschauend kann ich mir sagen: Hier ruhst du unmittelbar auf einem Grunde, der bis zu den tiefsten
10 Orten der Erde hinreicht, keine neuere Schicht, keine
aufgehäuften zusammengeschwemmten Trümmer [9]
haben sich zwischen dich und den festen Boden der
Urwelt gelegt, du gehst nicht wie in jenen fruchtbaren
schönen Tälern über ein anhaltendes Grab, diese Gipfel
15 haben nichts Lebendiges erzeugt und nichts Lebendiges
verschlungen, sie sind vor allem Leben und über alles
Leben. In diesem Augenblicke, da [10] die innern anzie-
henden und bewegenden Kräfte der Erde gleichsam
unmittelbar auf mich wirken, da die Einflüsse des
20 Himmels mich näher umschweben, werde ich zu höheren Betrachtungen der Natur hinaufgestimmt, und
wie der Menschengeist alles belebt, so wird auch ein
Gleichnis in mir rege, dessen Erhabenheit ich nicht
widerstehen kann. So einsam, sage ich zu mir selber, in-
25 dem ich diesen ganz nackten Gipfel hinabsehe und kaum
in der Ferne am Fuße ein geringwachsendes [11] Moos
erblicke, so einsam sage ich, wird es dem Menschen
zumute, der nur den ältsten, ersten, tiefsten Gefühlen
der Wahrheit seine Seele eröffnen will. Ja, er kann zu
30 sich sagen: hier auf dem ältesten ewigen Altare, der
unmittelbar auf die Tiefe der Schöpfung gebaut ist,
bring ich dem Wesen aller Wesen ein Opfer. Ich fühle

---

[9] zusammengeschwemmten Trümmer *rubble thrown together by
the action of turbulent water,* i.e., sedimentary rock.
[10] *when*
[11] geringwachsendes *growing sparsely*

die ersten festesten Anfänge unsers Daseins; ich über-
schaue die Welt, ihre schrofferen und gelinderen Täler
und ihre fernen fruchtbaren Weiden, meine Seele wird
über sich selbst und über alles erhaben und sehnt sich
nach dem nähern Himmel. Aber bald ruft die bren- 5
nende Sonne Durst und Hunger, seine menschlichen
Bedürfnisse, zurück. Er sieht sich nach jenen Tälern
um, über die sich sein Geist schon hinausschwang, er
beneidet die Bewohner jener fruchtbareren quell-
reichen Ebnen, die auf dem Schutte und Trümmern 10
von Irrtümern und Meinungen ihre glücklichen Wohnungen aufgeschlagen haben, den Staub ihrer Voreltern
aufkratzen und das geringe Bedürfnis ihrer Tage in
einem engen Kreise ruhig befriedigen. Vorbereitet durch
diese Gedanken, dringt die Seele in die vergangenen 15
Jahrhunderte hinauf,[12] sie vergegenwärtigt sich alle
Erfahrungen sorgfältiger Beobachter, alle Vermutun-
gen feuriger Geister. Diese Klippe, sage ich zu mir
selber, stand schroffer, zackiger, höher in die Wolken,
da [13] dieser Gipfel noch als eine meerumßoßne Insel 20
in den alten Wassern dastand; um sie sauste der Geist,
der über den Wogen brütete,[14] und in ihrem weiten
Schoße die höheren Berge aus den Trümmern des
Urgebirges und aus ihren Trümmern und den Resten
der eigenen Bewohner die späteren und ferneren Berge 25
sich bildeten. Schon fängt das Moos zuerst sich zu
erzeugen an, schon bewegen sich seltner die schaligen
Bewohner des Meeres, es senkt sich das Wasser, die
höhern Berge werden grün, es fängt alles an, von
Leben zu wimmeln. 30
Aber bald setzen sich diesem Leben neue Szenen

[12] in die vergangenen Jahrhunderte hinauf *back into bygone centuries*
[13] *when*
[14] Cf. Genesis 1.2: "And the earth was without form, and void; and darkness was upon the face of the deep. And the Spirit of God moved upon the face of the waters."

der Zerstörungen entgegen. In der Ferne heben sich
tobende Vulkane in die Höhe; sie scheinen der Welt den
Untergang zu drohen, jedoch unerschüttert bleibt die
Grundfeste, auf der ich noch sicher ruhe, indes [15] die
5 Bewohner der fernen Ufer und Inseln unter dem un-
treuen Boden begraben werden. Ich kehre von jeder
schweifenden Betrachtung zurück und sehe die Felsen
selbst an, deren Gegenwart meine Seele erhebt und
sicher macht. Ich sehe ihre Masse von verworrenen
10 Rissen durchschnitten, hier gerade, dort gelehnt in die
Höhe stehen, bald scharf übereinander gebaut, bald in
unförmlichen Klumpen wie übereinander geworfen,
und fast möchte ich bei dem ersten Anblicke ausrufen:
hier ist nichts in seiner ersten alten Lage, hier ist alles
15 Trümmer, Unordnung und Zerstörung. Ebendiese
Meinung werden wir finden, wenn wir von dem lebendigen Anschauen dieser Gebirge uns in die Studier-
stube zurückziehen und die Bücher unserer Vorfahren
aufschlagen. Hier heißt es bald, das Urgebirge sei
20 durchaus ganz, als wenn es aus einem Stücke gegossen
wäre, bald, es sei durch Flözklüfte [16] in Lager und
Bänke [17] getrennt, die durch eine große Anzahl Gänge [18]
nach allen Richtungen durchschnitten werden, bald, es
sei dieses Gestein keine Schichten, sondern in ganzen
25 Massen, die ohne das geringste Regelmäßige abwechselnd getrennt seien; ein anderer Beobachter
will dagegen bald starke Schichten, bald wieder Verwirrung angetroffen haben.[19] Wie vereinigen wir alle
diese Widersprüche und finden einen Leitfaden [20] zu
30 ferneren Beobachtungen?

[15] *while*
[16] *fissures*
[17] Lager und Bänke *horizontal beds and strata*
[18] Gänge *inclined veins or layers*
[19] will . . . angetroffen haben *claims to have come upon*
[20] *clue*

Dies ist es, was ich zu tun mir gegenwärtig vor-
setze; und sollte ich auch nicht so glücklich sein, wie
ich wünsche und hoffe, so werden doch meine Bemühungen andern Gelegenheit geben weiter zu gehen;
denn bei Beobachtungen sind selbst die Irrtümer 5
nützlich, indem sie aufmerksam machen und dem
Scharfsichtigen Gelegenheit geben sich zu üben. Nur
möchte eine Warnung hier nicht überflüssig sein, mehr
für Ausländer, wenn diese Schrift bis zu ihnen kommen
sollte, als für Deutsche: diese Gesteinsart von andern 10
wohl unterscheiden zu lernen. Noch verwechseln die
Italiener eine Lava mit dem kleinkörnigen Granit und
die Franzosen den Gneis,[21] den sie blättrigen Granit
oder Granit der zweiten Ordnung nennen; ja, sogar wir
Deutsche, die wir sonst in dergleichen Dingen so ge- 15
wissenhaft sind, haben noch vor kurzem das Totliegende,[22] eine zusammengebackene Steinart aus
Quarz und Hornsteinarten [23] und meist unter den
Schieferflözen,[24] ferner die graue Wacke [25] des Harzes,[26]
ein jüngeres Gemisch von Quarz und Schieferteilen,[27] 20
mit dem Granit verwechselt.

[*Der Granit als Unterlage* [28] *aller*
geologischen Bildung]

Da wir von den Gebirgslagen reden wollen, in der
Ordnung, wie wir solche auf- und nebeneinander fin-

[21] **Gneis** *gneiss*, a metamorphic rock corresponding in composition
to granite
[22] **das Totliegende** rock which is of no value in mining since it
contains no ore and is, therefore, "dead"
[23] *varieties of impure colored quartz*
[24] *schistous layers*
[25] *wacke* rock with the texture of sandstone, but derived from
disintegrated basic rocks
[26] **Harz** mountains in central Germany between the Weser and
the Elbe
[27] *shale*
[28] *foundation*

den, so ist es natürlich, daß wir von dem Granit den Anfang machen.

Denn es stimmen alle Beobachtungen, deren neuerdings so viele angestellt worden, darin überein, 5 daß er die tiefste Gebirgsart unseres Erdbodens ist, daß alle übrigen auf und neben ihm gefunden werden, er hingegen auf keiner andern aufliegt, so daß er, wenn er auch nicht den ganzen Kern der Erde ausmacht, doch wenigstens die tiefste Schale ist, die uns bekannt 10 geworden.[29]

Es unterscheidet sich diese merkwürdige Gesteinsart dadurch von allen andern, daß sie zwar nicht einfach ist, sondern aus sichtbaren Teilen besteht; jedoch zeigt der erste Anblick, daß diese Teile durch kein drittes 15 Mittel verbunden sind, sondern nur an- und nebeneinander bestehn und sich selbst untereinander festhalten. Wir nennen diese voneinander wohl zu unterscheidenden Teile: Quarz, Feldspat,[30] Glimmer,[31] wozu noch manchmal einige als Schörl[32] hinzukom- 20 men.

Wenn wir diese Teile genau betrachten, so kommt uns vor, als ob sie nicht, wie man es sonst von Teilen denken muß, vor dem Ganzen gewesen seien, sie scheinen nicht zusammengesetzt oder aneinander ge- 25 bracht, sondern zugleich mit ihrem Ganzen, das sie ausmachen, entstanden. Und obgleich nur der Glimmer öfters in seiner sechsseitigen, tafelartigen Kristallisation erscheint, und Quarz und Feldspat, weil es ihnen an Raum gebrach, die ihnen eigenen Gestalten nicht 30 annehmen konnten, so sieht man doch offenbar, daß der Granit durch eine lebendige, bei ihrem Ursprung

[29] supply: **ist**
[30] *feldspar*
[31] *mica*
[32] *schorl*

innerlich sehr zusammengedrängte Kristallisation entstanden ist.—Es sei uns erlaubt, auf die Entstehung
desselben und auf die Materie, woraus er entstanden,
einige Schlüsse zu machen.

Da dem Menschen nur solche Wirkungen in die 5
Augen fallen, welche durch eine große Bewegung und
Gewaltsamkeit der Kräfte entstehen, so ist er jederzeit
geneigt zu glauben, daß die Natur heftige Mittel gebraucht, um große Dinge hervorzubringen, ob er sich
gleich täglich an derselben eines anderen belehren 10
könnte.[33] So haben uns die Poeten ein streitendes,
uneinig tobendes Chaos vorgebildet.

Man hat von dem Körper der Sonne ungeheure
Massen abschöpfen,[34] ins Unendliche schleudern und
so unser Sonnensystem erschaffen lassen. 15

Mein Geist hat keine Flügel, um sich in jene Uran-
fänge hervorzuschwingen. Ich stehe auf dem Granit fest
und frage ihn, ob er uns einigen Anlaß geben wolle zu
denken, wie die Masse, woraus er entstanden, be-
schaffen gewesen. 20

[33] sich . . . an derselben eines anderen belehren könnte *could
get a different notion from it*
[34] *scoop off*

Einfache Nachahmung der Natur, Manier, Stil

IN THIS ESSAY, first printed in 1789 in the February issue of Christoph Martin Wieland's *Teutscher Merkur,* Goethe attempts to clarify what he considers the three basic treatments of a subject in the fine arts: simple imitation of nature, mannerism, and style. It is one of the several essays on art which he wrote after 1788, when he returned to Weimar from Italy. During his Italian journey many of his ideas about art had undergone significant modification, not only as a result of his seeing and studying great works, but also through his many rewarding discussions with both practicing artists and theorists.

The passage in this essay cited most often is Goethe's statement that "style is based on the deepest foundations of knowledge, on the nature of things . . . ." Calling to mind the very title of Lucretius' poem *De rerum natura,* this concise statement can also be taken as a key to understanding the relation of Goethe's literary art to his science, as will be amply demonstrated in other essays in the present volume.

EINFACHE NACHAHMUNG DER
NATUR, MANIER, STIL

Es SCHEINT nicht überflüssig zu sein, genau an-
zuzeigen, was wir uns bei diesen Worten denken, welche
wir öfters brauchen werden. Denn wenn man sich
gleich [1] auch derselben schon lange in Schriften bedient, wenn sie gleich durch theoretische Schriften 5
bestimmt zu sein scheinen, so braucht denn doch jeder
sie meistens in einem eignen Sinne,[2] und denkt sich
mehr oder weniger dabei, je schärfer oder schwächer
er den Begriff gefaßt hat, der dadurch ausgedrückt
werden soll. 10

[1] wenn . . . gleich *although*
[2] in einem eignen Sinne *in his own sense*, i.e., *in a sense fitting his own interpretation*

EINFACHE NACHAHMUNG DER NATUR

Wenn ein Künstler, bei dem man das natürliche
Talent voraussetzen muß, in der frühsten Zeit, nachdem er nur einigermaßen Auge und Hand an Mustern
geübt, sich an die Gegenstände der Natur wendete, mit
5 Treue und Fleiß ihre Gestalten, ihre Farben auf das
genaueste nachahmte, sich gewissenhaft niemals von
ihr entfernte, jedes Gemälde, das er zu fertigen hätte,
wieder in ihrer Gegenwart anfinge und vollendete, ein
solcher würde immer ein schätzenswerter Künstler
10 sein: denn es könnte ihm nicht fehlen, daß es in einem
unglaublichen Grade wahr würde, daß seine Arbeiten
sicher, kräftig und reich sein müßten.

Wenn man diese Bedingungen genau überlegt, so
sieht man leicht, daß eine zwar fähige, aber be-
15 schränkte Natur angenehme aber beschränkte Gegenstände auf diese Weise behandeln könne.

Solche Gegenstände müssen leicht und immer zu
haben sein; sie müssen bequem gesehen und ruhig
nachgebildet werden können; [3] das Gemüt, das sich mit
20 einer solchen Arbeit beschäftigt, muß still, in sich
gekehrt,[4] und in einem mäßigen Genuß genügsam [5]
sein.

Diese Art der Nachbildung würde also bei sogenannten toten oder stilliegenden Gegenständen von
25 ruhigen, treuen, eingeschränkten Menschen in Ausübung gebracht werden.[6] Sie schließt ihrer Natur nach
eine hohe Vollkommenheit nicht aus.

---

[3] sie müssen bequem gesehen und ruhig nachgebildet werden
können *one must be able to see them with ease and copy them
dispassionately*
[4] in sich gekehrt *introverted*
[5] *contented*
[6] würde . . . in Ausübung gebracht werden *would be put into
practice*

MANIER

Allein [7] gewöhnlich wird dem Menschen eine solche Art zu verfahren zu ängstlich, oder nicht hinreichend. Er sieht eine Übereinstimmung vieler Gegenstände, die er nur in ein Bild bringen kann, indem er das Einzelne aufopfert; es verdrießt ihn, der Natur ihre 5 Buchstaben im Zeichnen nur gleichsam nachzubuchstabieren; [8] er erfindet sich selbst eine Weise, [9] macht sich selbst eine Sprache, um das, was er mit der Seele ergriffen, [10] wieder nach seiner Art auszudrücken, einem Gegenstande, den er öfters wiederholt hat, eine 10 eigne bezeichnende Form zu geben, ohne, wenn er ihn wiederholt, die Natur selbst vor sich zu haben, noch auch sich geradezu ihrer ganz lebhaft zu erinnern.

Nun wird es eine Sprache, in welcher sich der Geist des Sprechenden unmittelbar ausdrückt und bezeichnet. 15 Und wie die Meinungen über sittliche Gegenstände sich in der Seele eines jeden, der selbst denkt, anders reihen und gestalten, so wird auch jeder Künstler dieser Art die Welt anders sehen, ergreifen und nachbilden, er wird ihre Erscheinungen bedächtiger [11] oder 20 leichter fassen, er wird sie gesetzter oder flüchtiger [12] wieder hervorbringen.

Wir sehen, daß diese Art der Nachahmung am geschicktesten bei Gegenständen angewendet wird, welche in einem großen Ganzen viele kleine sub- 25

---

[7] *But*

[8] **es verdrießt ihn, der Natur ihre Buchstaben im Zeichnen nur gleichsam nachzubuchstabieren** *only to copy nature literally, as it were, vexes him*

[9] *manner, method*

[10] *apprehended*

[11] *more circumspectly*

[12] **gesetzter oder flüchtiger** *more calmly and exactly or more hastily and superficially*

ordinierte Gegenstände enthalten. Diese letztere müssen
aufgeopfert werden, wenn der allgemeine Ausdruck
des großen Gegenstandes erreicht werden soll, wie zum
Exempel bei Landschaften der Fall ist, wo man ganz
5 die Absicht verfehlen würde,[13] wenn man sich
ängstlich [14] beim Einzelnen aufhalten und den Begriff
des Ganzen nicht vielmehr festhalten wollte.[15]

STIL

Gelangt die Kunst durch Nachahmung der Natur,
durch Bemühung sich eine allgemeine Sprache zu
10 machen, durch genaues und tiefes Studium der Gegenstände selbst endlich dahin,[16] daß sie die Eigenschaften der Dinge und die Art, wie sie bestehen,[17]
genau und immer genauer kennen lernt, daß sie die
Reihe der Gestalten übersieht,[18] und die verschiedenen
15 charakteristischen Formen nebeneinander zu stellen
und nachzuahmen weiß: [19] dann wird der Stil der
höchste Grad, wohin sie gelangen kann,[20] der Grad, wo
sie sich den höchsten menschlichen Bemühungen
gleichstellen [21] darf.
20 Wie die einfache Nachahmung auf dem ruhigen
Dasein und einer liebevollen [22] Gegenwart beruhet, die
Manier eine Erscheinung mit einem leichten fähigen

---

[13] wo man ganz die Absicht verfehlen würde *where one would
completely fall short of one's [artistic] intention*
[14] *scrupulously*
[15] nicht vielmehr festhalten wollte *did not prefer rather to depict*
[16] Gelangt die Kunst . . . endlich dahin *If art finally reaches the
point*
[17] die Art, wie sie bestehen *the nature of their existence*
[18] die Reihe der Gestalten übersieht *surveys the range of forms*
[19] weiß *knows how to*
[20] wohin sie gelangen kann *to which it can attain*
[21] sich gleichstellen *be equated with*
[22] *fond*

Gemüt [23] ergreift, so ruht der Stil auf den tiefsten
Grundfesten der Erkenntnis, auf dem Wesen der Dinge,
insofern uns erlaubt ist es in sichtbaren und greiflichen
Gestalten zu erkennen.

Die Ausführung des oben Gesagten würde ganze 5
Bände einnehmen; man kann auch schon manches
darüber in Büchern finden; der reine Begriff aber ist
allein an der Natur und den Kunstwerken zu studieren.
Wir fügen noch einige Betrachtungen hinzu, und
werden, sooft von bildender Kunst die Rede ist,[24] Ge-10
legenheit haben uns dieser Blätter [25] zu erinnern.
Es läßt sich leicht einsehen, daß diese drei hier
voneinander geteilten Arten, Kunstwerke hervorzubringen, genau miteinander verwandt sind, und daß
eine in die andere sich zart verlaufen kann.[26]   15
Die einfache Nachahmung leichtfaßlicher Gegenstände (wir wollen hier zum Beispiel Blumen und
Früchte nehmen) kann schon auf einen hohen Grad
gebracht werden. Es ist natürlich, daß einer, der Rosen
nachbildet, bald die schönsten und frischesten Rosen 20
kennen und unterscheiden, und unter tausenden, die
ihm der Sommer anbietet, heraussuchen werde. Also
tritt hier schon die Wahl ein, ohne daß sich der
Künstler einen allgemeinen bestimmten Begriff von der
Schönheit der Rose gemacht hätte.[27] Er hat mit faß-25
lichen Formen zu tun; alles kommt auf die mannig-

[23] *disposition*
[24] **sooft von bildender Kunst die Rede ist** *as often as the fine arts are
discussed*
[25] *pages*
[26] **sich zart verlaufen kann** *can pass gently*
[27] **ohne daß sich der Künstler einen allgemeinen bestimmten
Begriff von der Schönheit der Rose gemacht hätte** *without the
artist's having achieved a universal, definite concept of the beauty
of the rose.*

faltige Bestimmung [28] und die Farbe der Oberfläche an.
Die pelzige Pfirsche,[29] die fein bestaubte [30] Pflaume,
den glatten Apfel, die glänzende Kirsche, die blendende
Rose, die mannigfaltigen Nelken, die bunten Tulpen,
5 alle wird er nach Wunsch im höchsten Grade der Vollkommenheit ihrer Blüte und Reife in seinem stillen
Arbeitszimmer vor sich haben; er wird ihnen die
günstigste Beleuchtung geben; sein Auge wird sich an
die Harmonie der glänzenden Farben, gleichsam
10 spielend, gewöhnen; er wird alle Jahre [31] dieselben
Gegenstände zu erneuern wieder imstande sein, und
durch eine ruhige nachahmende Betrachtung des
simpeln Daseins die Eigenschaften dieser Gegenstände
ohne mühsame Abstraktion erkennen und fassen: und
15 so werden die Wunderwerke eines Huysum,[32] einer
Rachel Ruysch [33] entstehen, welche Künstler sich
gleichsam über das Mögliche hinübergearbeitet haben.[34]
Es ist offenbar, daß ein solcher Künstler nur desto
größer und entschiedener werden muß, wenn er zu
20 seinem Talente noch ein unterrichteter [35] Botaniker ist:
wenn er von der Wurzel an den Einfluß der verschiedenen Teile auf das Gedeihen und den Wachstum der
Pflanze, ihre Bestimmung [36] und wechselseitige
Wirkungen erkennt, wenn er die sukzessive Entwick-
25 lung der Blätter, Blumen, Befruchtung, Frucht und des

---

[28] Bestimmung *predetermined character*
[29] die pelzige Pfirsche *the fuzzy peach*
[30] *bloomy*
[31] alle Jahre *every year*
[32] Jan van Huysum (1682–1749), eminent Dutch still-life painter,
whose works can be found in some of the principal European gal-
leries.
[33] Rachel Ruysch (1664–1750), another noteworthy Dutch still-
life artist.
[34] sich gleichsam über das Mögliche hinübergearbeitet haben *went
beyond what is possible, as it were*
[35] *trained*
[36] Bestimmung *predestined configuration*

neuen Keimes einsiehet und überdenkt. Er wird
alsdann nicht bloß durch die Wahl aus den Erscheinungen seinen Geschmack zeigen, sondern er wird uns
auch durch eine richtige Darstellung der Eigenschaften
zugleich in Verwunderung setzen und belehren. In 5
diesem Sinne würde man sagen können, er habe sich
einen Stil gebildet, da man von der andern Seite leicht
einsehen kann, wie ein solcher Meister, wenn er es
nicht gar so genau nähme,[37] wenn er nur das Auf-
fallende, Blendende leicht auszudrücken beflissen wäre, 10
gar bald [38] in die Manier übergehen würde.

Die einfache Nachahmung arbeitet also gleichsam
im Vorhofe des Stils. Je treuer, sorgfältiger, reiner sie
zu Werke gehet, je ruhiger sie das was sie erblickt,
empfindet, je gelassener sie es nachahmt, je mehr sie 15
sich dabei zu denken gewöhnt, das heißt, je mehr sie
das Ähnliche zu vergleichen, das Unähnliche voneinander abzusondern, und einzelne Gegenstände unter
allgemeine Begriffe zu ordnen lernet, desto würdiger
wird sie sich machen, die Schwelle des Heiligtums 20
selbst zu betreten.

Wenn wir nun ferner die Manier betrachten, so
sehen wir, daß sie im höchsten Sinne und in der
reinsten Bedeutung des Worts ein Mittel zwischen der
einfachen Nachahmung und dem Stil sein könne. Je 25
mehr sie bei ihrer leichteren Methode sich der treuen
Nachahmung nähert, je eifriger sie von der andern
Seite das Charakteristische der Gegenstände zu ergreifen und faßlich auszudrücken sucht, je mehr sie
beides durch eine reine, lebhafte, tätige Individualität 30
verbindet, desto höher, größer und respektabler wird
sie werden. Unterläßt ein solcher Künstler sich an die

[37] **wenn er es nicht gar so genau nähme** *if he were not entirely so
conscientious*
[38] **gar bald** *very soon*

Natur zu halten und an die Natur zu denken, so wird
er sich immer mehr von der Grundfeste der Kunst
entfernen, seine Manier wird immer leerer und un-
bedeutender werden, je weiter sie sich von der ein-
5 fachen Nachahmung und von dem Stil entfernt.

Wir brauchen hier nicht zu wiederholen, daß wir
das Wort Manier in einem hohen und respektablen
Sinne nehmen, daß also die Künstler, deren Arbeiten,
nach unsrer Meinung, in den Kreis [39] der Manier fallen,
10 sich über uns nicht zu beschweren haben. Es ist uns
bloß angelegen, das Wort Stil in den höchsten Ehren
zu halten,[40] damit uns ein Ausdruck übrigbleibe, um
den höchsten Grad zu bezeichnen, welchen die Kunst
je erreicht hat und je erreichen kann. Diesen Grad
15 auch [41] nur erkennen, ist schon eine große Glückselig-
keit, und davon sich mit Verständigen [42] unterhalten ein
edles Vergnügen, das wir uns in der Folge [43] zu verschaffen manche Gelegenheit finden werden.

[39] *sphere, area*
[40] Es ist uns bloß angelegen . . . in den höchsten Ehren zu halten
We are merely concerned with holding in highest honor
[41] *even*
[42] mit Verständigen *with experts, i.e., with people who understand
what is involved*
[43] in der Folge *in the future, hereafter*

GLÜCKLICHES EREIGNIS

ON HIS RETURN from a journey to Switzerland in December of 1779, Goethe, together with the other members of Duke Karl August's party, passed through Stuttgart. Among the entertainments offered them by their host, the Duke of Württemberg, were the festivities at the military academy. One of the bright students in that school was particularly overjoyed at the opportunity to see the famous author, who was seated on the dais beside the two dukes. That student was Friedrich Schiller. Fifteen years were to separate that occasion from the "fortunate event" in July of 1794 recounted in the present essay. It marked the beginning of what is surely one of the most productive and momentous friendships in the history of literature.

Glückliches Ereignis was originally composed in 1794, but the expanded version reprinted here appeared at the end of the first fascicle of Goethe's journal on morphology published in 1817.

GLÜCKLICHES EREIGNIS

GENOSS ICH die schönsten Augenblicke meines
Lebens zu gleicher Zeit, als ich der Metamorphose der
Pflanzen nachforschte,[1] als mir die Stufenfolge derselben klar geworden, begeistete mir diese Vorstellung
5 den Aufenthalt von Neapel und Sizilien, gewann ich
diese Art, das Pflanzenreich zu betrachten, immer
mehr lieb, übte ich mich unausgesetzt daran auf Wegen
und Stegen: so mußten mir diese vergnüglichen Bemühungen dadurch unschätzbar werden, indem sie
10 Anlaß gaben zu einem der höchsten Verhältnisse, die
mir das Glück in spätern Jahren bereitete. Die nähere
Verbindung mit Schiller bin ich diesen erfreulichen
Erscheinungen schuldig, sie beseitigten die Mißver-

[1] Goethe's essay **Die Metamorphose der Pflanzen** was first published in 1790 by K. W. Ettinger in Gotha.

hältnisse, welche mich lange Zeit von ihm entfernt
hielten.

Nach meiner Rückkunft aus Italien,[2] wo ich mich
zu größerer Bestimmtheit und Reinheit in allen Kunst-
fächern auszubilden gesucht hatte, unbekümmert, was 5
währender Zeit in Deutschland vorgegangen, fand ich
neuere und ältere Dichterwerke in großem Ansehn,
von ausgebreiteter Wirkung, leider solche, die mich
äußerst anwiderten: ich nenne nur Heinses Ardinghello [3] und Schillers Räuber.[4] Jener war mir verhaßt, 10
weil er Sinnlichkeit und abstruse Denkweisen durch
bildende Kunst zu veredlen und aufzustutzen unternahm, dieser, weil ein kraftvolles, aber unreifes Talent
gerade die ethischen und theatralischen Paradoxen,
von denen ich mich zu reinigen gestrebt, recht im vollen 15
hinreißenden Strome über das Vaterland ausgegossen
hatte.

Beiden Männern von Talent verargte ich nicht, was
sie unternommen und geleistet; denn der Mensch
kann sich nicht versagen, nach seiner Art wirken zu 20
wollen, er versucht es erst unbewußt, ungebildet, dann
auf jeder Stufe der Bildung immer bewußter, daher
denn so viel Teffliches und Albernes sich über die
Welt verbreitet und Verwirrung aus Verwirrung sich
entwickelt. 25

Das Rumoren aber, das im Vaterlande dadurch er-
regt,[5] der Beifall, der jenen wunderlichen Ausgeburten
allgemein so [6] von wilden Studenten als der gebildeten

---

[2] He arrived in Weimar on June 18, 1788.
[3] **Ardinghello oder die glückseligen Inseln** (1787), a sensual novel
by **Johann Jakob Wilhelm Heinse** (1746–1803).
[4] Schiller's play **Die Räuber,** finished in 1781 and produced on
the stage in the following year, would no doubt have appealed to
Goethe when he himself was working on *Götz von Berlichingen* in the
early seventies.
[5] supply: **wird**
[6] so = **sowohl**

Hofdame gezollt wird, der erschreckte mich; denn ich glaubte all mein Bemühen völlig verloren zu sehen, die Gegenstände, zu welchen, die Art und Weise, wie ich mich gebildet hatte,[7] schienen mir beseitigt und
5 gelähmt. Und was mich am meisten schmerzte: alle mit mir verbundenen Freunde, Heinrich Meyer [8] und Moritz,[9] sowie die im gleichen Sinne fortwaltenden Künstler Tischbein und Bury [10] schienen mir gleichfalls gefährdet; ich war sehr betroffen. Die Betrachtung der
10 bildenden Kunst, die Ausübung der Dichtkunst hätte ich gerne völlig aufgegeben, wenn es möglich gewesen wäre; denn wo war eine Aussicht, jene Produktionen von genialem Wert und wilder Form zu überbieten? Man denke sich meinen Zustand! Die reinsten An-
15 schauungen suchte ich zu nähren und mitzuteilen, und nun fand ich mich zwischen Ardinghello und Franz Moor [11] eingeklemmt.

Moritz, der aus Italien gleichfalls zurückkam und eine Zeitlang bei mir verweilte, bestärkte sich mit mir
20 leidenschaftlich in diesen Gesinnungen; ich vermied Schillern, der, sich in Weimar aufhaltend, in meiner Nachbarschaft wohnte. Die Erscheinung des Don Carlos [12] war nicht geeignet, mich ihm näher zu führen, alle Versuche von Personen, die ihm und mir gleich

---

[7] die Gegenstände, zu welchen, die Art und Weise, wie ich mich gebildet hatte *the things to which* [i.e., *for the understanding and mastery of which*] *and the way in which I had educated myself*

[8] Johann Heinrich Meyer (1760–1832), Swiss painter and art critic, taught at the drawing academy in Weimar. Goethe met him in Italy in 1786.

[9] Karl Philipp Moritz (1757–1793), whom Goethe also met in Italy, is best known as the author of the tract *Über die bildende Nachahmung des Schönen* (1788) and of the autobiographical novel *Anton Reiser* (1785–1790).

[10] Both Johann H. W. Tischbein (1751–1829) and Friedrich Bury (1763–1823) were among Goethe's acquaintances in Italy and painted portraits of him, which are now famous.

[11] The villain in Schiller's *Die Räuber*.

[12] Don Carlos, Infant von Spanien, Schiller's long tragedy on the struggle for political freedom, had appeared in 1787.

nahe standen, lehnte ich ab, und so lebten wir eine Zeitlang nebeneinander fort.

Sein Aufsatz über Anmut und Würde [13] war ebensowenig ein Mittel, mich zu versöhnen. Die Kantische Philosophie, welche das Subjekt so hoch erhebt, indem 5 sie es einzuengen scheint, hatte er mit Freuden in sich aufgenommen; sie entwickelte das Außerordentliche, was die Natur in sein Wesen gelegt, und er, im höchsten Gefühl der Freiheit und Selbstbestimmung, war undankbar gegen die große Mutter, die ihn gewiß nicht 10 stiefmütterlich behandelte. Anstatt sie selbständig, lebendig vom Tiefsten bis zum Höchsten, gesetzlich hervorbringend zu betrachten, nahm er sie von der Seite einiger empirischen menschlichen Natürlichkeiten.[14] Gewisse harte Stellen sogar konnte ich direkt 15 auf mich deuten, sie zeigten mein Glaubensbekenntnis in einem falschen Lichte; [15] dabei fühlte ich, es sei noch

[13] First published in 1793 in the *Neue Thalia.*

[14] Anstatt sie selbständig, lebendig vom Tiefsten bis zum Höchsten, gesetzlich hervorbringend zu betrachten, nahm er sie von der Seite einiger empirischen menschlichen Natürlichkeiten *Instead of observing it independently [as] alive [in the entire scale] from the deepest to the highest [phenomena] and productive according to exact laws, he approached it from the point of view of some empirical, human aspects of naturalness.*

[15] Goethe is referring to the following lines of *Anmut und Würde,* where Schiller speaks of ". . . Dichtergenien, die früher berühmt werden, als sie mündig sind, und wo, wie bei mancher Schönheit, das ganze Talent oft die *Jugend* ist. Ist aber der kurze Frühling vorbei, und fragt man nach den Früchten, die er hoffen ließ, so sind es schwammige und oft verkrüppelte Geburten, die ein mißgeleiteter blinder Bildungstrieb erzeugte. Gerade da, wo man erwarten kann, daß der Stoff sich zur Form veredelt und der bildende Geist in der Anschauung Ideen niedergelegt habe, sind sie, wie jedes andre Naturprodukt, der Materie anheimgefallen, und die vielversprechenden Meteore erscheinen als ganz gewöhnliche Lichter—wo nicht gar als noch etwas weniger. Denn die poetisierende Einbildungskratt sinkt zuweilen auch ganz zu dem Stoff zurück, aus dem sie sich losgewickelt hatte, und verschmäht es nicht, der Natur bei einem andern, *solidern* Bildungswerk zu dienen, wenn es ihr mit der poetischen Zeugung nicht recht mehr gelingen will." (See Vol. III this series, p. 45, l. 4 ff.)

schlimmer, wenn es ohne Beziehung auf mich gesagt
worden; denn die ungeheure Kluft zwischen unsern
Denkweisen klaffte nur desto entschiedener.

An keine Vereinigung war zu denken. Selbst das
5 milde Zureden eines Dalberg,[16] der Schillern nach
Würden zu ehren verstand, blieb fruchtlos, ja meine
Gründe, die ich jeder Vereinigung entgegensetzte,
waren schwer zu widerlegen. Niemand konnte leugnen,
daß zwischen zwei Geistesantipoden mehr als ein Erd-
10 diameter die Scheidung mache, da sie denn beider-
seits als Pole gelten mögen, aber eben deswegen in
eins nicht zusammenfallen können. Daß aber doch ein
Bezug unter ihnen stattfinde, erhellt aus Folgendem.
Schiller zog nach Jena, wo ich ihn ebenfalls nicht
15 sah. Zu gleicher Zeit hatte Batsch [17] durch unglaub-
liche Regsamkeit eine naturforschende Gesellschaft [18]
in Tätigkeit gesetzt, auf schöne Sammlungen, auf be-
deutenden Apparat gegründet. Ihren periodischen
Sitzungen wohnte ich gewöhnlich bei; einstmals fand
20 ich Schillern daselbst, wir gingen zufällig beide zugleich
heraus, ein Gespräch knüpfte sich an, er schien an
dem Vorgetragenen teilzunehmen, bemerkte aber sehr
verständig und einsichtig und mir sehr willkommen,
wie eine so zerstückelte Art, die Natur zu behandeln,
25 den Laien, der sich gern darauf einließe, keineswegs
anmuten [19] könne.

Ich erwiderte darauf, daß sie den Eingeweihten
selbst vielleicht unheimlich bleibe und daß es doch
wohl noch eine andere Weise geben könne, die Natur

[16] Karl Theodor, Reichsfreiherr von Dalberg (1744–1817), repre-
sentative in Erfurt of the Elector of Mainz. In 1802 he himself became
Elector and, after 1806, the Primate of the Rhine Confederation.
[17] August J. G. C. Batsch (1761–1802), professor of medicine and
botany at the University of Jena.
[18] The "Naturforschende Gesellschaft" was founded in 1793.
Goethe, Schiller, and Wieland were invited as honorary members.
[19] *attract, appeal to*

nicht gesondert und vereinzelt vorzunehmen, sondern sie wirkend und lebendig, aus dem Ganzen in die Teile strebend darzustellen. Er wünschte hierüber aufgeklärt zu sein, verbarg aber seine Zweifel nicht; er konnte nicht eingestehen, daß ein solches, 5 wie ich behauptete, schon aus der Erfahrung hervorgehe.

Wir gelangten zu seinem Hause, das Gespräch lockte mich hinein; da trug ich die Metamorphose der Pflanzen lebhaft vor und ließ, mit manchen charak-10 teristischen Federstrichen, eine symbolische Pflanze vor seinen Augen entstehen. Er vernahm und schaute das alles mit großer Teilnahme, mit entschiedener Fassungskraft; als ich aber geendet, schüttelte er den Kopf und sagte: "Das ist keine Erfahrung, das ist eine 15 Idee." Ich stutzte, verdrießlich einigermaßen; denn der Punkt, der uns trennte, war dadurch aufs strengste bezeichnet. Die Behauptung aus Anmut und Würde fiel mir wieder ein, der alte Groll wollte sich regen; ich nahm mich aber zusammen und versetzte: "Das kann 20 mir sehr lieb sein, daß ich Ideen habe, ohne es zu wissen, und sie sogar mit Augen sehe."

Schiller, der viel mehr Lebensklugheit und Lebensart hatte als ich und mich auch wegen der Horen,[20] die er herauszugeben in Begriff stand, mehr anzuziehen 25 als abzustoßen gedachte, erwiderte darauf als ein gebildeter Kantianer, und als aus meinem hartnäckigen Realismus mancher Anlaß zu lebhaftem Widerspruch entstand, so ward viel gekämpft und dann Stillstand gemacht; keiner von beiden konnte sich für den Sieger 30 halten, beide hielten sich für unüberwindlich. Sätze wie folgender machten mich ganz unglücklich: "Wie

[20] **Die Horen** a journal edited by Schiller from 1795 to 1797. Schiller's first letter to Goethe (June 13, 1794) is an invitation to join in this venture.

kann jemals Erfahrung gegeben werden, die einer
Idee angemessen sein sollte? Denn darin besteht eben
das Eigentümliche der letzteren, daß ihr niemals eine
Erfahrung kongruieren könne." Wenn er das für eine
5 Idee hielt, was ich als Erfahrung aussprach, so mußte
doch zwischen beiden irgend etwas Vermittelndes, Be-
zügliches obwalten![21] Der erste Schritt war jedoch
getan. Schillers Anziehungskraft war groß, er hielt
alle fest, die sich ihm näherten; ich nahm teil an
10 seinen Absichten und versprach zu den Horen manches,
was bei mir verborgen lag, herzugeben; seine Gattin,
die ich, von ihrer Kindheit auf, zu lieben und zu
schätzen gewohnt war, trug das Ihrige bei zu dauern-
dem Verständnis, alle beiderseitigen Freunde waren
15 froh, und so besiegelten wir, durch den größten, vielleicht nie ganz zu schlichtenden Wettkampf zwischen
Objekt und Subjekt,[22] einen Bund, der ununterbrochen
gedauert und für uns und andere manches Gute
gewirkt hat.[23]
20   Nach diesem glücklichen Beginnen entwickelten
sich im Verfolg eines zehnjährigen Umgangs die
philosophischen Anlagen, inwiefern sie meine Natur
enthielt, nach und nach; davon denke [24] möglichst
Rechenschaft zu geben, wenn schon die obwaltenden
25 Schwierigkeiten jedem Kenner sogleich ins Auge fallen
müssen. Denn diejenigen, welche von einem höheren

[21] so mußte doch . . . obwalten! *then, after all, a mediating, related
element had to exist between both [of us]* (!)
[22] The two terms characterize their different ways of thinking:
Goethe the realist, and Schiller the idealist.
[23] In the version of 1794 there follows here only a brief paragraph:
"Für mich insbesondere war es ein neuer Frühling, in welchem alles
froh nebeneinander keimte und aus aufgeschlossenen Samen und
Zweigen hervorging. Unsere beiderseitigen Briefe geben davon das
unmittelbarste, reinste und vollständigste Zeugnis." (AGA, XII, 623)
[24] supply: **ich**

Standpunkte die behagliche Sicherheit des Menschen-
verstandes überschauen, des einem gesunden Menschen angebornen Verstandes,[25] der weder an den
Gegenständen und ihrem Bezug, noch an dem eigenen
Befugnis,[26] sie zu erkennen, zu begreifen, zu beurteilen, 5
zu schätzen, zu benutzen zweifelt, solche Männer
werden gewiß gerne gestehen, daß ein fast Unmögliches
unternommen werde, wenn man die Übergänge in
einen geläuterten, freieren, selbstbewußten Zustand,
deren es tausend und aber tausend [27] geben muß, zu 10
schildern unternimmt. Von Bildungsstufen kann die
Rede nicht sein, wohl aber von Irr-, Schleif- und
Schleichwegen [28] und sodann von unbeabsichtigtem
Sprung und belebtem Aufsprung zu einer höhern
Kultur. 15

Und wer kann denn zuletzt sagen, daß er wissen-
schaftlich in der höchsten Region des Bewußtseins
immer wandele, wo man das Äußere mit größter Be-
dächtigkeit, mit so scharfer als ruhiger Aufmerksam-
keit betrachtet, wo man zugleich sein eigenes Innere 20
mit kluger Umsicht, mit bescheidener Vorsicht walten
läßt, in geduldiger Hoffnung eines wahrhaft reinen,
harmonischen Anschauens? [29] Trübt uns nicht die
Welt, trüben wir uns nicht selbst solche Momente?
Fromme Wünsche jedoch dürfen wir hegen, liebe- 25
volles Annähern an das Unerreichbare zu versuchen,
ist nicht untersagt.

Was uns bei unsern Darstellungen zunächst gelingt,

---

[25] des einem gesunden Menschen angebornen Verstandes [con-
strue as in apposition with des Menschenverstandes] *of the understanding natural to a healthy human being*
[26] *faculty, competence*
[27] tausend und aber tausend *thousands and thousands*
[28] von Irr-, Schleif- und Schleichwegen *of going astray on erring,
arduous, secret trails*
[29] *contemplation*

empfehlen wir längst verehrten Freunden und zugleich der deutschen nach dem Guten und Rechten hinstrebenden Jugend.

Möchten wir aus ihnen frische Teilnehmer und 5 künftige Beförderer heranlocken [30] und erwerben!

[30] *attract*

ÜBER EPISCHE UND DRAMATISCHE DICHTUNG

THE FRIENDSHIP between Goethe and Schiller, whose beginning is so charmingly recounted in *Glückliches Ereignis*, soon developed into a most active discussion of literary questions. This conversation between the two greatest German authors is partially documented in their correspondence, which extends from 1794 to 1805, the year of Schiller's death. The *Goethe-Schiller Briefwechsel* affords us, as does perhaps no other single original source, a fascinatingly direct view into the "workshop" of two masters of literature.

Über epische und dramatische Dichtung grew out of the letters exchanged between them in 1797, when Schiller was writing the dramatic trilogy *Wallenstein* and Goethe, the epic poem *Hermann und Dorothea,* and both men were occupied with problems of structure and form in epic and dramatic poetry. Goethe summarized various points advanced in Schiller's letters and sent the resulting essay to his friend as an enclosure in his letter of December 23, 1797. However, it was not printed until 1827, when it appeared in Goethe's journal *Über Kunst und Altertum,* Bd. VI, Heft 1 under the title: *Über epische und dramatische Dichtung von Goethe und Schiller.* Today, this essay is included in the collected works of both authors.

ÜBER EPISCHE UND
DRAMATISCHE DICHTUNG

D ER EPIKER und Dramatiker sind beide den allgemeinen poetischen Gesetzen unterworfen, besonders
dem Gesetze der Einheit und dem Gesetze der Ent-
faltung; ferner behandeln sie beide ähnliche Gegen-
5 stände und können beide alle Arten von Motiven [1]
brauchen; ihr großer wesentlicher Unterschied beruht
aber darin, daß der Epiker die Begebenheit als vollkommen vergangen vorträgt und der Dramatiker sie
als vollkommen gegenwärtig darstellt. Wollte man das
10 Detail der Gesetze, wonach beide zu handeln haben,
aus der Natur des Menschen herleiten, so müßte man
sich einen Rhapsoden und einen Mimen, beide als

[1] *themes*

Dichter, jenen mit seinem ruhig horchenden, diesen mit seinem ungeduldig schauenden [2] und hörenden Kreise umgeben, immer vergegenwärtigen, und es würde nicht schwerfallen zu entwickeln,[3] was einer jeden von diesen beiden Dichtarten am meisten 5 frommt,[4] welche Gegenstände jede vorzüglich wählen, welcher Motive sie sich vorzüglich bedienen wird; ich sage vorzüglich: denn, wie ich schon zu Anfang bemerkte, ganz ausschließlich kann sich keine etwas anmaßen.[5]

Die Gegenstände des Epos und der Tragödie sollten rein menschlich, bedeutend und pathetisch sein: die Personen stehen am besten auf einem gewissen Grade der Kultur, wo die Selbsttätigkeit noch auf sich allein angewiesen ist,[6] wo man nicht moralisch, politisch, 15 mechanisch, sondern persönlich wirkt. Die Sagen aus der heroischen Zeit der Griechen waren in diesem Sinne den Dichtern besonders günstig.

Das epische Gedicht stellt vorzüglich persönlich beschränkte Tätigkeit, die Tragödie persönlich be- 20 schränktes Leiden vor; das epische Gedicht den außer sich wirkenden Menschen: Schlachten, Reisen, jede Art von Unternehmung, die eine gewisse sinnliche Breite fordert; die Tragödie den nach innen geführten Menschen, und die Handlungen der echten Tragödie 25 bedürfen daher nur wenigen Raums.

Der Motive kenne ich fünferlei [7] Arten:

1. Vorwärtsschreitende, welche die Handlung fördern; deren bedient sich vorzüglich das Drama.

---

[2] *gazing*
[3] *explain*
[4] *is appropriate*
[5] **sich anmaßen** *claim for itself*
[6] **wo die Selbsttätigkeit noch auf sich allein angewiesen ist** *where the actions of the individual are still spontaneous*
[7] **fünferlei** *five different*

2. Rückwärtsschreitende, welche die Handlung von ihrem Ziele entfernen; deren bedient sich das epische Gedicht fast ausschließlich.

3. Retardierende, welche den Gang aufhalten oder
5 den Weg verlängern; dieser bedienen sich beide Dichtarten mit dem größten Vorteile.

4. Zurückgreifende, durch die dasjenige, was vor der Epoche des Gedichts geschehen ist, hereingehoben [8] wird.

10 5. Vorgreifende, die dasjenige, was nach der Epoche des Gedichts geschehen wird, antizipieren; beide Arten braucht der epische sowie der dramatische Dichter, um sein Gedicht vollständig zu machen.

Die Welten, welche zum Anschauen gebracht werden
15 sollen,[9] sind beiden gemein:

1. Die physische, und zwar erstlich die nächste,[10] wozu die dargestellten Personen gehören und die sie umgibt. In dieser steht der Dramatiker meist auf einem Punkte fest, der Epiker bewegt sich freier in einem
20 größern Lokal;[11] zweitens die entferntere Welt, wozu ich die ganze Natur rechne. Diese bringt der epische Dichter, der sich überhaupt an die Imagination wendet, durch Gleichnisse[12] näher, deren sich der Dramatiker sparsamer bedient.

25 2. Die sittliche ist beiden ganz gemein, und wird am glücklichsten in ihrer physiologischen und pathologischen Einfalt dargestellt.[13]

---

[8] *included*
[9] welche zum Anschauen gebracht werden sollen *which are to be vividly presented*
[10] die nächste [Welt] *the immediate* [*world*]
[11] *space*
[12] *similes*
[13] und wird am glücklichsten in ihrer physiologischen und pathologischen Einfalt dargestellt *and is most felicitously represented with physical and emotional simplicity*

3. Die Welt der Phantasien, Ahnungen, Erscheinungen, Zufälle und Schicksale. Diese steht beiden [14] offen, nur versteht sich, daß sie an die sinnliche herangebracht werde; wobei denn für die Modernen eine besondere Schwierigkeit entsteht, weil wir für die [5] Wundergeschöpfe, Götter, Wahrsager und Orakel der Alten, so sehr es zu wünschen wäre, nicht leicht Ersatz finden.

Die Behandlung im Ganzen betreffend, wird der Rhapsode, der das vollkommen Vergangene vorträgt, [10] als ein weiser Mann erscheinen, der in ruhiger Besonnenheit das Geschehene übersieht; sein Vortrag wird dahin zwecken, [15] die Zuhörer zu beruhigen, damit sie ihm gern und lange zuhören, er wird das Interesse egal verteilen, weil er nicht imstande ist, einen allzu [15] lebhaften Eindruck geschwind zu balancieren, er wird nach Belieben [16] rückwärts und vorwärts greifen und wandeln, man wird ihm überall folgen, denn er hat es nur mit der Einbildungskraft zu tun, [17] die sich ihre Bilder selbst hervorbringt, und der es auf einen ge- [20] wissen Grad gleichgültig ist, was für welche sie aufruft. [18] Der Rhapsode sollte als ein höheres Wesen in seinem Gedicht nicht selbst erscheinen, er läse hinter einem Vorhange am allerbesten, [19] so daß man von aller Persönlichkeit abstrahierte und nur die Stimme [25] der Musen im allgemeinen zu hören glaubte.

Der Mime dagegen ist gerade in dem entgegengesetzten Fall, er stellt sich als ein bestimmtes Individuum dar, er will, daß man an ihm und seiner nächsten Um-

[14] *both* [*types of poets*]
[15] **wird dahin zwecken** *will aim at*
[16] **nach Belieben** *at will*
[17] **denn er hat es nur mit der Einbildungskraft zu tun** *for he is only concerned with the imagination*
[18] **was für welche sie aufruft** *whatsoever kind it evokes*
[19] **er läse hinter einem Vorhange am allerbesten** *it would be best of all for him to read behind a curtain*

gebung ausschließlich teilnehme, daß man die Leiden seiner Seele und seines Körpers mitfühle, seine Verlegenheiten [20] teile und sich selbst über ihn vergesse. Zwar wird auch er stufenweise zu Werke gehen, aber 5 er kann viel lebhaftere Wirkungen wagen, weil bei sinnlicher Gegenwart auch sogar der stärkere Eindruck durch einen schwächern vertilgt werden kann. Der zuschauende Hörer muß von Rechts wegen [21] in einer steten sinnlichen Anstrengung bleiben, er darf sich 10 nicht zum Nachdenken erheben, er muß leidenschaftlich folgen, seine Phantasie ist ganz zum Schweigen gebracht, man darf keine Ansprüche an sie machen, und selbst was erzählt wird, muß gleichsam darstellend [22] vor die Augen gebracht werden.

[20] *straits, dilemmas*
[21] *by rights*
[22] **gleichsam darstellend** *acted out, as it were*

METAMORPHOSIS

GOETHE'S *Die Metamorphose der Pflanzen* and *Metamorphose der Tiere* are the two German masterpieces of didactic poetry in the tradition of Hesiod, Lucretius, Vergil, Horace, Ovid, Dryden and Boileau. They are, indeed, essays in verse in the same sense as Alexander Pope's *Essay on Man* and *Essay on Criticism* and represent a fusion of Goethe's art with his science. Poetry, not prose, was the mode of expression best suited to Goethe's *Weltanschauung,* to his peculiar manner of apprehending nature, of thinking about and combining the findings of his science and connecting these, in turn, with his ideas on ethics, religion, and aesthetic matters. Goethe's science, on the empirical level, was carefully methodical and objective. But its end was not scientific knowledge, it was human wisdom, for by pursuing such study he sought to understand man in the totality of his relations. Such a striving is poetic by its very nature, and it achieved its supreme expression in *Faust*. Thus, the "essays" most characteristic of Goethe's mind are in verse.

In Goethe's *Ausgabe letzter Hand* of 1827 both poems were reprinted together with three smaller ones in the following sequence:

> *Parabase*
> *Die Metamorphose der Pflanzen*

Epirrhema
Metamorphose der Tiere
Antepirrhema

Goethe clearly meant all five to be read as a poetic
unit, but to this he gave no title. The present editors
have, therefore, taken the liberty of calling it *Metamorphosis*, a Greek term appropriately characterizing all
five poems individually as well as the entire structure.

The first poem, *Parabase*, whose Greek title is a
term from Attic comedy denoting the chorus's address
to the audience, first appeared in 1820 in Vol. I, part 3
of Goethe's journal *Zur Morphologie*.

The second, *Die Metamorphose der Pflanzen*, was
written in 1798 and first printed in Schiller's *Musenal-
manach* in 1799. With minor changes, it appeared in
the following year in the seventh volume of Goethe's
works. His friend, Carl Ludwig Knebel, who at the
time was engaged in translating Lucretius' *De rerum
natura*, thought Goethe should have employed the
hexameter line instead of the distich for this poem.

Knebel's opinion appears to have had some influence,
for *Metamorphose der Tiere*, thought to have been
composed in 1799, is in the form of pure hexameters.
This *Lehrgedicht*, first printed in Vol. I of *Zur Morphologie* in 1820, was to have been part of a larger
poetic work on Nature in the manner of Lucretius.
Later Goethe even appears to have considered writing
a poem about magnetic forces. But, expecting the
philosopher Schelling to write a long nature poem,
Goethe discarded his own plans.

Both *Epirrhema* and *Antepirrhema* were first published in 1820 in *Zur Morphologie*, Vol. I, part 2. Both
poems, as well as *Parabase*, appeared without superscription when first printed.

Epirrhema and *Antepirrhema,* like the title *Parabase,*
are terms from Greek comedy. *Epirrhema* refers to the
lines spoken after the first *strophe* of the chorus, and
Antepirrhema to those spoken after the second.

The fascinating interrelation among these five
poems, all of them written originally as separate en-
tities, may suggest the organization of the panels in
a medieval altarpiece such as the "Isenheimer Altar"
of Matthias Grünewald. And like such panels, one often
sees them reproduced separately, for each is a valid
poetic statement by itself. Altogether, however, as a
polyptych in verse, they make up what is widely considered one of Goethe's sublimest creations.

METAMORPHOSIS

PARABASE

Freudig war, vor vielen Jahren,
Eifrig so der Geist bestrebt,
Zu erforschen, zu erfahren,
Wie Natur im Schaffen lebt.
5 Und es ist das ewig Eine,
Das sich vielfach offenbart:
Klein das Große, groß das Kleine,
Alles nach der eignen Art;
Immer wechselnd, fest sich haltend,
10 Nah und fern und fern und nah,
So gestaltend, umgestaltend—
Zum Erstaunen bin ich da.

DIE METAMORPHOSE DER PFLANZEN [1]

Dich verwirret, Geliebte,[2] die tausendfältige Mischung
Dieses Blumengewühls über dem Garten umher;
Viele Namen hörest du an, und immer verdränget
Mit barbarischem Klang einer [3] den andern im Ohr.
Alle Gestalten sind ähnlich, und keine gleichet der andern; 5
Und so deutet das Chor auf ein geheimes Gesetz,
Auf ein heiliges Rätsel. O könnt ich dir, liebliche Freundin,
Überliefern sogleich glücklich das lösende Wort! [4]—
Werdend betrachte sie [5] nun, wie [6] nach und nach sich die Pflanze,
Stufenweise geführt, bildet zu Blüten und Frucht. 10
Aus dem Samen entwickelt sie sich, sobald ihn der Erde
Stille [7] befruchtender Schoß [8] hold [9] in das Leben entläßt [10]
Und dem Reize [11] des Lichts, des heiligen, ewig bewegten,

---

[1] In 1790 Goethe wrote on this subject at length in a prose work of approximately forty pages called **Versuch die Metamorphose der Pflanzen zu erklären.**

[2] Presumably Christiane Vulpius, Goethe's common-law wife, whom he married officially in 1806.

[3] *one* (i.e., *one of the many names*)

[4] **das lösende Wort** answer to the "**heiliges Rätsel**" of the previous line.

[5] **Werdend betrachte sie** *watch it as it grows*

[6] Construe: **wie . . . sich die Pflanze . . . zu Blüten und Frucht bildet.**

[7] **Stille** adv. modifying **befruchtender**

[8] *womb*

[9] *propitiously*

[10] *releases, delivers*

[11] *stimulus* (scientific); *allurement* (poetic). Obviously Goethe intended both meanings.

Gleich [12] den zärtesten [13] Bau keimender [14] Blätter
empfiehlt.[15]

Einfach schlief in dem Samen die Kraft; [16] ein begin-
15   nendes Vorbild [17]

Lag, verschlossen in sich, unter die Hülle gebeugt,[18]

Blatt und Wurzel und Keim, nur halb geformet und
farblos;

Trocken erhält [19] so der Kern ruhiges Leben bewahrt,

Quillet strebend empor,[20] sich milder Feuchte ver-
trauend,

20   Und erhebt sich sogleich aus der umgebenden Nacht.

Aber einfach bleibt die Gestalt der ersten Erscheinung,[21]

Und so bezeichnet sich [22] auch unter den Pflanzen
das Kind.

Gleich darauf ein folgender Trieb, sich erhebend, er-
neuet,

Knoten auf Knoten getürmt,[23] immer das erste Ge-
bild.[24]

25 Zwar nicht immer das gleiche; denn mannigfaltig erzeugt sich,

Ausgebildet, du siehsts, immer das folgende Blatt,

---

[12] gleich = sofort
[13] zärtesten obs. form of zartesten
[14] *germinating*
[15] The four lines ending with **empfiehlt** might be reconstructed in prose: Aus dem Samen entwickelt sie (die Pflanze) sich, sobald der still befruchtende Schoß der Erde ihn (den Samen) hold in das Leben entläßt und dem Reize des heiligen, ewig bewegten Lichts gleich den zartesten Bau keimender Blätter empfiehlt.
[16] *life force*
[17] *archetype*
[18] **unter die Hülle gebeugt** *bent under the (seed's) integument.* The word **gebeugt** implies the dynamic force latent in the seed.
[19] **erhält** construe with **bewahrt** at the end of this line. **erhält . . . bewahrt** *protects*
[20] **Quillet . . . empor** *gushes up*
[21] **die Gestalt der ersten Erscheinung** *the form as it first appears*
[22] **bezeichnet sich** *is characterized*
[23] **Knoten auf Knoten getürmt** *node piled on node*
[24] *structure*

Ausgedehnter, gekerbter,[25] getrennter in Spitzen und
    Teile,
Die verwachsen [26] vorher ruhten im untern Organ.
Und so erreicht es zuerst die höchst bestimmte Vol-
    lendung,
Die bei manchem Geschlecht [27] dich zum Erstaunen
    bewegt.   30
Viel gerippt und gezackt, auf mastig strotzender
    Fläche,[28]
Scheinet die Fülle des Triebs frei und unendlich zu
    sein.
Doch hier hält die Natur, mit mächtigen Händen, die
    Bildung
An und lenket sie sanft in das Vollkommnere hin.   35
Mäßiger leitet sie nun den Saft, verengt die Gefäße,[29]
Und gleich zeigt die Gestalt zärtere Wirkungen an.
Stille zieht sich der Trieb der strebenden Ränder zu-
    rücke,
Und die Rippe des Stiels [30] bildet sich völliger aus.
Blattlos aber und schnell erhebt sich der zärtere
    Stengel,[31]
Und ein Wundergebild zieht den Betrachtenden an. 40
Rings im Kreise stellet sich nun, gezählet und ohne
Zahl, das kleinere Blatt neben dem ähnlichen hin.
Um die Achse gedrängt entscheidet der bergende
    Kelch [32] sich,
Der zur höchsten Gestalt farbige Kronen [33] entläßt.

[25] *more crenate*
[26] **verwachsen** *coalescent*
[27] *species*
[28] **mastig strotzender Fläche** *lushly swelling surface*
[29] *ducts* (in the vascular tissue of the plant)
[30] **Rippe des Stiels** *nerve or vein of the petiole or leaf stem*
[31] *stalk*
[32] **der bergende Kelch** *the protective calyx* (the outer leafy part of the flower)
[33] **Kronen** *the petals of the flower collectively as distinguished from the calyx*

45 Also prangt die Natur in hoher, voller Erscheinung,
Und sie zeiget, gereiht, Glieder an Glieder gestuft.
Immer staunst du aufs neue, sobald sich am Stengel
die Blume
Über dem schlanken Gerüst wechselnder Blätter be-
wegt.
Aber die Herrlichkeit wird des neuen Schaffens Ver-
kündung.
50   Ja, das farbige Blatt fühlet die göttliche Hand,
Und zusammen zieht es sich schnell; die zärtesten
Formen,[34]
Zwiefach streben sie vor, sich zu vereinen bestimmt.
Traulich stehen sie nun, die holden Paare, beisammen,
Zahlreich ordnen sie sich um den geweihten Altar.
Hymen [35] schwebet herbei, und herrliche Düfte, ge-
55   waltig,
Strömen süßen Geruch, alles belebend, umher.
Nun vereinzelt schwellen sogleich unzählige Keime,
Hold in den Mutterschoß schwellender Früchte ge-
hüllt.
Und hier schließt die Natur den Ring der ewigen Kräfte;
60   Doch ein neuer [36] sogleich fasset den vorigen an,
Daß die Kette sich fort durch alle Zeiten verlänge,
Und das Ganze belebt, so wie das Einzelne, sei.
Nun, Geliebte, wende den Blick zum bunten Gewimmel,
Das verwirrend nicht mehr sich vor dem Geiste be-
wegt.
65 Jede Pflanze verkündet dir nun die ewgen Gesetze,
Jede Blume, sie spricht lauter und lauter mit dir.
Aber entzifferst du hier der Göttin [37] heilige Lettern,

---

[34] die zärtesten Formen These *"most delicate forms"* are the pistil
and stamen, the reproductive organs within the flower.
[35] Greek god of marriage
[36] ein neuer = ein neuer Ring This figure is continued in the next
line with the expression Kette.
[37] the goddess of Nature

Überall siehst du sie dann, auch in verändertem
Zug.[38]
Kriechend zaudre die Raupe,[39] der Schmetterling eile
geschäftig,
Bildsam ändre der Mensch selbst die bestimmte Ge-
stalt.   70
O, gedenke denn auch, wie aus dem Keim der Bekannt-
schaft
Nach und nach in uns holde Gewohnheit entsproß,
Freundschaft sich mit Macht in unserm Innern ent-
hüllte,
Und wie Amor zuletzt Blüten und Früchte gezeugt.
Denke, wie mannigfach bald diese, bald jene Gestalten, 75
Still entfaltend, Natur unsern Gefühlen geliehn![40]
Freue dich auch des heutigen Tags! Die heilige Liebe
Strebt zu der höchsten Frucht gleicher Gesinnungen
auf,
Gleicher Ansicht der Dinge, damit in harmonischem
Anschaun
Sich verbinde das Paar, finde die höhere Welt.   80

EPIRRHEMA

Müsset im Naturbetrachten
Immer eins wie alles achten:
Nichts ist drinnen, nichts ist draußen;
Denn was innen, das ist außen.
So ergreifet ohne Säumnis   5
Heilig öffentlich Geheimnis.

Freuet euch des wahren Scheins,
Euch des ernsten Spieles:
Kein Lebendiges ist ein Eins,
Immer ists ein Vieles.   10

[38] *feature, characteristic*
[39] Kriechend zaudre die Raupe *let the caterpillar dally as it crawls*
[40] Natur unsern Gefühlen geliehn *lent our feelings a natural quality*

METAMORPHOSE DER TIERE

Wagt ihr,[41] also bereitet,[42] die letzte Stufe zu steigen
Dieses Gipfels,[42] so reicht mir die Hand und öffnet den
    freien
Blick ins weite Feld der Natur. Sie spendet die reichen
Lebensgaben umher, die Göttin; aber empfindet
5 Keine Sorge wie sterbliche Fraun um ihrer Gebornen
Sichere Nahrung; [43] ihr ziemet es nicht: denn zwiefach
    bestimmte
Sie das höchste Gesetz, beschränkte jegliches Leben,
Gab ihn gemeßnes Bedürfnis, und ungemessene Gaben,
Leicht zu finden, streute sie [44] aus, und ruhig begünstigt
Sie das muntre Bemühn der vielfach bedürftigen Kin-
10 der;
Unerzogen [45] schwärmen sie fort nach ihrer Be-
    stimmung.

Zweck sein selbst ist jegliches Tier,[46] vollkommen ent-
    springt es
Aus dem Schoß der Natur und zeugt vollkommene
    Kinder.
Alle Glieder bilden sich aus nach ewgen Gesetzen,
Und die seltenste Form bewahrt im geheimen das Ur-
15 bild.[47]

[41] **Wagt ihr** *if you dare*
[42] The words "**also bereitet**" and "**Dieses Gipfels**" indicate that
Metamorphose der Tiere is a fragment of a larger poem. This work
was then intended as the "summit" of Goethe's poetic treatment of
his insights into the workings of nature.
[43] **um ihrer Gebornen/Sichere Nahrung** a highly compact poetic
phrase meaning: *"for the nourishment of their offspring being
assured."*
[44] **sie = die Göttin**
[45] **Unerzogen** *without training,* i.e., *instinctively*
[46] **Zweck sein selbst ist jegliches Tier** *each animal is its own end*
[47] In this statement Goethe expresses the germ of the modern
biological principle that ontogeny recapitulates philogeny.

So ist jeglicher Mund geschickt, die Speise zu fassen,
Welche dem Körper gebührt; es sei nun schwächlich
   und zahnlos
Oder mächtig der Kiefer gezahnt, in jeglichem Falle
Fördert ein schicklich Organ den übrigen Gliedern die
   Nahrung.
Auch bewegt sich jeglicher Fuß, der lange, der kurze, 20
Ganz harmonisch zum Sinne des Tiers und seinem Be-
   dürfnis.
So ist jedem der Kinder die volle, reine Gesundheit
Von der Mutter bestimmt: denn alle lebendigen Glie-
   der
Widersprechen sich nie und wirken alle zum Leben.[48]
Also bestimmt die Gestalt die Lebensweise des Tieres, 25
Und die Weise, zu leben, sie wirkt auf alle Gestalten
Mächtig zurück. So zeiget sich fest die geordnete
   Bildung,
Welche zum Wechsel sich neigt durch äußerlich
   wirkende Wesen.
Doch im Innern befindet die Kraft der edlern Geschöpfe
Sich im heiligen Kreise lebendiger Bildung beschlossen. 30
Diese Grenzen erweitert kein Gott, es ehrt die Natur sie:
Denn nur also beschränkt war je das Vollkommene
   möglich.

Doch im Inneren scheint ein Geist gewaltig zu ringen,
Wie er durchbräche den Kreis, Willkür zu schaffen den
   Formen
Wie dem Wollen; doch was er beginnt, beginnt er ver-
   gebens. 35
Denn zwar drängt er sich vor zu diesen Gliedern, zu
   jenen,
Stattet mächtig sie aus, jedoch schon darben dagegen
Andere Glieder, die Last des Übergewichtes vernichtet

---

[48] **und wirken alle zum Leben** *and all of them promote life*

Alle Schöne [49] der Form und alle reine Bewegung.
40 Siehst du also dem einen Geschöpf besonderen Vorzug
Irgend gegönnt, so frage nur gleich: wo leidet es etwa
Mangel anderswo? und suche mit forschendem Geiste;
Finden wirst du sogleich zu aller Bildung den Schlüssel.
Denn so hat kein Tier, dem sämtliche Zähne den obern
45 Kiefer umzäunen, ein Horn auf seiner Stirne getragen,
Und daher ist den Löwen gehörnt der ewigen Mutter
Ganz unmöglich zu bilden, [50] und böte sie alle Gewalt
auf;
Denn sie hat nicht Masse genug, die Reihen der Zähne
Völlig zu pflanzen und auch Geweih und Hörner zu
treiben.

Dieser schöne Begriff von Macht und Schranken, von
50 Willkür
Und Gesetz, von Freiheit und Maß, von beweglicher
Ordnung,
Vorzug und Mangel erfreue dich hoch; die heilige Muse
Bringt harmonisch ihn dir, mit sanftem Zwange be-
lehrend.
Keinen höhern Begriff erringt der sittliche Denker,
Keinen der tätige Mann, der dichtende Künstler; der
55 Herrscher,
Der verdient, es zu sein, erfreut nur durch ihn sich der
Krone.
Freue dich, höchstes Geschöpf der Natur, du fühlest
dich fähig,
Ihr den höchsten Gedanken, zu dem sie schaffend sich
aufschwang,
Nachzudenken. Hier stehe nun still und wende die
Blicke

---

[49] Schöne = Schönheit
[50] Construe: Und daher ist [es] der ewigen Mutter ganz unmöglich, den Löwen gehörnt zu bilden.

Rückwärts, prüfe, vergleiche, und nimm vom Munde
  der Muse,   60
Daß du schauest, nicht schwärmst, die liebliche, volle
  Gewißheit.

ANTEPIRRHEMA

So schauet mit bescheidnem Blick
Der ewigen Weberin [51] Meisterstück,
Wie *ein* Tritt [52] tausend Fäden regt,
Die Schifflein [53] hinüber herüber schießen,
Die Fäden sich begegnend fließen,   5
Ein Schlag tausend Verbindungen schlägt! [54]
Das hat sie nicht zusammengebettelt,[55]
Sie hats von Ewigkeit angezettelt; [56]
Damit der ewige Meistermann [57]
Getrost den Einschlag werfen [58] kann.   10

[51] This female weaver is, of course, the **Göttin** of the previous poems.

[52] Stepping on the treadle of a loom causes the sets of threads making up the warp to change positions.

[53] *shuttles*

[54] *effects*

[55] *gathered from here and there as a beggar might do*

[56] **Sie hats von Ewigkeit angezettelt** *It (Nature) has been plotting this design through all eternity.* Here again Goethe has used a word meaning two things simultaneously: 1) *set up a warp;* and 2) *contrive a plan.*

[57] **der ewige Meistermann** *the eternal master (weaver),* i.e., *God.*

[58] **den Einschlag werfen** *add the woof,* that is, cast the shuttle between the threads making up the warp.

POLARITÄT

POLARITY and the union of opposites play such an important part in Goethe's thought that from his various other works the list of antitheses in the essay below could be extended almost indefinitely. Though complete in its brevity, this document is actually, and surprisingly enough, the rough draft for a lecture that Goethe held in Weimar on October 2, 1805.

POLARITÄT

ZWEI FORDERUNGEN entstehn in uns bei Betrachtung der Naturerscheinungen: die Erscheinungen selbst vollständig kennenzulernen, und uns dieselben durch Nachdenken anzueignen. Zur Vollständigkeit führt die Ordnung, die Ordnung fordert Methode, und 5 die Methode erleichtert die Vorstellungen.[1] Wenn wir einen Gegenstand in allen seinen Teilen übersehen, recht fassen und ihn im Geiste wieder hervorbringen können, so dürfen wir sagen, daß wir ihn im eigentlichen und im höhern Sinne anschauen, daß er uns 10 angehöre, daß wir darüber eine gewisse Herrschaft erlangen. Und so führt uns das Besondere immer zum Allgemeinen, das Allgemeine zum Besondern. Beide

[1] **erleichtert die Vorstellungen** *makes it easier for us to form our concepts*

wirken bei jeder Betrachtung, bei jedem Vortrag
durcheinander.[2]

Einiges Allgemeine gehe hier voraus.[3]

Dualität der Erscheinung als Gegensatz:[4]

5 Wir und die Gegenstände
Licht und Finsternis
Leib und Seele
Zwei Seelen [5]
Geist und Materie

10 Gott und die Welt
Gedanke und Ausdehnung [6]
Ideales und Reales
Sinnlichkeit und Vernunft
Phantasie und Verstand

15 Sein und Sehnsucht.
Zwei Körperhälften
Rechts und Links
Atemholen.[7]

Physische Erfahrung:

20 Magnet [8]

Unsere Vorfahren bewunderten die Sparsamkeit der
Natur. Man dachte sie als eine verständige Person, die,

---

[2] wirken . . . durcheinander *are intimately correlated in their effect*

[3] **Einiges Allgemeine gehe hier voraus** *Let a few general considerations precede our further remarks.*

[4] *antithesis*

[5] In the scene "Vor dem Tor" in *Faust I*, Faust says to his famulus Wagner, who has just praised the "pleasures of the mind":

Du bist dir nur des einen Triebs bewußt;
O lerne nie den andern kennen!
Zwei Seelen wohnen, ach! in meiner Brust,
Die eine will sich von der andern trennen:
Die eine hält in derber Liebeslust
Sich an die Welt mit klammernden Organen;
Die andre hebt gewaltsam sich vom Dust
Zu den Gefilden hoher Ahnen.

[6] *extension*

[7] Goethe uses one word for the antithesis: *inhaling—exhaling.*

[8] The implied antithesis: *positive pole—negative pole.*

indessen andere mit vielem wenig hervorbringen, mit wenigem viel zu leisten geneigt ist. Wir bewundern mehr, wenn wir uns auch auf menschliche Weise ausdrücken, ihre Gewandtheit, wodurch sie, obgleich auf wenige Grundmaximen eingeschränkt, das Mannig- 5 faltigste hervorzubringen weiß.

Sie bedient sich hierzu des Lebensprinzips, welches die Möglichkeit enthält, die einfachsten Anfänge der Erscheinungen durch Steigerung [9] ins Unendliche und Unähnlichste zu vermannigfaltigen. 10

Was in die Erscheinung tritt,[10] muß sich trennen, um nur zu erscheinen. Das Getrennte sucht sich wieder, und es kann sich wieder finden und vereinigen; im niedern Sinne, indem es sich nur mit seinem Entgegengestellten [11] vermischt, mit demselben zusammen- 15 tritt, wobei die Erscheinung Null oder wenigstens gleichgültig wird. Die Vereinigung kann aber auch im höhern Sinne geschehen, indem das Getrennte sich zuerst steigert und durch die Verbindung der gesteigerten Seiten ein Drittes, Neues, Höheres, Uner- 20 wartetes hervorbringt.

[9] **Steigerung** *increase* or *intensification* (of something toward its highest potential)
[10] **Was in die Erscheinung tritt** *Whatever becomes a phenomenon*
[11] *opposite*

Bildung und Umbildung organischer Naturen

THE FOLLOWING three essays constitute the introduction to Goethe's writings on morphology. Since they are presented as a unit in his *Ausgabe letzter Hand,* they are so reprinted here.

Das Unternehmen wird entschuldigt and *Die Absicht eingeleitet* were both written in 1807, when Goethe first expected to publish his collected treatises in this field. Only a decade later did these plans materialize. In 1817, when his work appeared in journal form under the title *Zur Wissenschaft überhaupt besonders zur Morphologie,* the third essay, *Der Inhalt bevorwortet,* was added to the introductory matter of the first fascicle. The several issues of the journal followed irregularly until 1824.

Bildung und Umbildung organischer Naturen was originally a subtitle printed on the first page of each volume together with the words quoted from the Book of Job. Later editors have used this as a superscription above the title of the first essay.

BILDUNG UND UMBILDUNG

ORGANISCHER NATUREN

Siehe er geht vor mir über
ehe ich's gewahr werde,
und verwandelt sich
ehe ich's merke.

Hiob [1]

DAS UNTERNEHMEN WIRD ENTSCHULDIGT

WENN DER ZUR lebhaften Beobachtung aufgeforderte Mensch mit der Natur einen Kampf zu bestehen anfängt, so fühlt er zuerst einen ungeheuern Trieb, die Gegenstände sich zu unterwerfen. Es dauert aber nicht lange, so dringen sie dergestalt gewaltig auf 5 ihn ein, daß er wohl fühlt wie sehr er Ursache hat, auch

[1] Cf. Job 9. 11.

ihre Macht anzuerkennen und ihre Einwirkung zu verehren. Kaum überzeugt er sich von diesem wechselseitigen Einfluß, so wird er ein doppelt Unendliches gewahr, an den Gegenständen die Mannigfaltigkeit des Seins
5 und Werdens und der sich lebendig durchkreuzenden Verhältnisse, an sich selbst aber die Möglichkeit einer unendlichen Ausbildung, indem er seine Empfänglichkeit sowohl als sein Urteil immer zu neuen Formen des Aufnehmens und Gegenwirkens geschickt [2] macht.
10 Diese Zustände geben einen hohen Genuß und würden das Glück des Lebens entscheiden, wenn nicht innre und äußre Hindernisse dem schönen Lauf zur Vollendung sich entgegen stellten. Die Jahre, die erst brachten, fangen an zu nehmen; man begnügt sich in seinem
15 Maß mit dem Erworbenen, und ergötzt sich daran um so mehr im stillen, als [3] von außen eine aufrichtige, reine, belebende Teilnahme selten ist.[4]

Wie wenige fühlen sich von dem begeistert, was eigentlich nur dem Geist erscheint. Die Sinne, das Ge-
20 fühl, das Gemüt [5] üben weit größere Macht über uns aus, und zwar mit Recht: denn wir sind aufs Leben und nicht auf die Betrachtung angewiesen.[6]

Leider findet man aber auch bei denen, die sich dem Erkennen, dem Wissen ergeben, selten eine wün-
25 schenswerte Teilnahme. Dem Verständigen, auf das Besondere Merkenden, genau Beobachtenden, Auseinandertrennenden [7] ist gewissermaßen das zur Last,

---

[2] *capable of*
[3] *since*
[4] als . . . selten ist Goethe was vexed that so few people paid much attention to his researches.
[5] *disposition*
[6] wir sind aufs Leben . . . angewiesen *life itself is our proper lot*
[7] **Dem Verständigen, auf das Besondere Merkenden, genau Beobachtenden, Auseinandertrennenden** *The well-informed person who takes notice of special phenomena, who makes exact observations, who analyzes*

was aus einer Idee kommt und auf sie zurückführt. Er
ist in seinem Labyrinth auf eine eigene Weise zu
Hause, ohne daß er sich um einen Faden bekümmerte,
der schneller durch und durch führte; [8] und solchem
scheint ein Metall, das nicht ausgemünzt ist, nicht 5
aufgezählt werden kann, ein lästiger Besitz; dahin-
gegen der, der sich auf höhern Standpunkten befindet,
gar leicht das einzelne verachtet und dasjenige, was
nur gesondert ein Leben hat, in eine tötende Allgemein-
heit zusammenreißt. 10

In diesem Konflikt befinden wir uns schon seit
langer Zeit. Es ist darin gar manches getan, gar
manches zerstört worden, und ich würde nicht in Ver-
suchung kommen meine Ansichten der Natur, in einem
schwachen Kahn, dem Ozean der Meinungen zu über-15
geben, hätten wir nicht in den erstvergangenen Stunden der Gefahr so lebhaft gefühlt, welchen Wert Papiere
für uns behalten, in welche wir früher einen Teil unseres Daseins niederzulegen bewogen worden.

Mag daher das, was ich mir in jugendlichem Mute 20
öfters als ein Werk träumte, nun als Entwurf, ja als
fragmentarische Sammlung hervortreten, und als das,
was es ist, wirken und nutzen.

So viel hatte ich zu sagen, um diese vieljährige
Skizzen, davon jedoch einzelne Teile mehr oder weniger 25
ausgeführt sind, dem Wohlwollen meiner Zeitgenossen
zu empfehlen. Gar manches, was noch zu sagen sein
möchte, wird im Fortschritte des Unternehmens am
besten eingeführt werden.

Jena, 1807 30

---

[8] einen Faden . . . der schneller durch und durch führte *a
thread*, i.e., *a principle, which would more rapidly lead completely
through* [*to the truth*].

DIE ABSICHT EINGELEITET

Wenn wir Naturgegenstände, besonders aber die lebendigen, dergestalt gewahr werden, daß wir uns eine Einsicht in den Zusammenhang ihres Wesens und Wirkens zu verschaffen wünschen, so glauben
5 wir zu einer solchen Kenntnis am besten durch Trennung der Teile gelangen zu können, wie denn auch wirklich dieser Weg uns sehr weit zu führen geeignet ist. Was Chemie und Anatomie zur Ein- und Übersicht der Natur beigetragen haben, dürfen wir nur mit
10 wenig Worten den Freunden des Wissens ins Gedächtnis zurückrufen.

Aber diese trennenden Bemühungen, immer und immer fortgesetzt, bringen auch manchen Nachteil hervor. Das Lebendige ist zwar in Elemente zerlegt,
15 aber man kann es aus diesen nicht wieder zusammenstellen und beleben. Dieses gilt schon von vielen anorganischen, geschweige ⁹ von organischen Körpern.

Es hat sich daher auch in dem wissenschaftlichen Menschen zu allen Zeiten ein Trieb hervorgetan, die
20 lebendigen Bildungen als solche zu erkennen, ihre äußern sichtbaren, greiflichen Teile im Zusammenhange zu erfassen, sie als Andeutungen des Innern aufzunehmen und so das Ganze in der Anschauung ¹⁰ gewissermaßen zu beherrschen. Wie nah dieses wissen-
25 schaftliche Verlangen mit dem Kunst- und Nachahmungstriebe zusammenhänge, braucht wohl nicht umständlich ausgeführt zu werden.

Man findet daher in dem Gange der Kunst, des Wissens und der Wissenschaft mehrere Versuche, eine
30 Lehre zu gründen und auszubilden, welche wir die

⁹ *to say nothing*
¹⁰ *intuitive contemplation*

Morphologie nennen möchten. Unter wie mancherlei Formen diese Versuche erscheinen, davon wird in dem geschichtlichen Teile [11] die Rede sein.

Der Deutsche hat für den Komplex des Daseins eines wirklichen Wesens das Wort Gestalt. Er abstrahiert bei diesem Ausdruck von dem Beweglichen, er nimmt an, daß ein Zusammengehöriges festgestellt, abgeschlossen und in seinem Charakter fixiert sie.

Betrachten wir aber alle Gestalten, besonders die organischen, so finden wir, daß nirgends ein Bestehendes, nirgends ein Ruhendes, ein Abgeschlossenes vorkommt, sondern daß vielmehr alles in einer steten Bewegung schwanke. Daher unsere Sprache das Wort Bildung sowohl von dem Hervorgebrachten,[12] als von dem Hervorgebrachtwerdenden [13] gehörig genug zu brauchen pflegt.[14]

Wollen wir also eine Morphologie einleiten, so dürfen wir nicht von Gestalt sprechen, sondern wenn wir das Wort brauchen, uns allenfalls dabei nur die Idee, den Begriff oder ein in der Erfahrung nur für den Augenblick Festgehaltenes denken.[15]

Das Gebildete wird sogleich wieder umgebildet, und wir haben uns, wenn wir einigermaßen zum lebendigen Anschaun der Natur gelangen wollen,[16] selbst so beweglich und bildsam [17] zu erhalten, nach dem Beispiele mit dem sie uns vorgeht.

[11] i.e., in the main body of the work to which this essay is the introduction.

[12] dem Hervorgebrachten *that which has already been generated*

[13] dem Hervorgebrachtwerdenden *that which is in the process of being generated*

[14] Goethe means simply that the word **Bildung** is used to denote the process as well as the result.

[15] Construe: dürfen wir . . . uns allenfalls . . . nur die Idee . . . denken.

[16] wenn wir . . . gelangen wollen *if we wish in some measure to achieve vivid observation of nature.*

[17] *plastic*

Wenn wir einen Körper auf dem anatomischen
Wege [18] in seine Teile zerlegen und diese Teile wieder
in das, worin sie sich trennen lassen, so kommen wir
zuletzt auf solche Anfänge, die man Similarteile ge-
5 nannt hat. Von diesen ist hier nicht die Rede; wir
machen vielmehr auf eine höhere Maxime [19] des Organismus aufmerksam, die wir folgendermaßen aussprechen.

Jedes Lebendige ist kein Einzelnes, sondern eine
10 Mehrheit; selbst insofern es uns als Individuum erscheint, bleibt es doch eine Versammlung von lebendigen selbständigen Wesen, die der Idee, der Anlage
nach,[20] gleich sind, in der Erscheinung aber gleich oder
ähnlich, ungleich oder unähnlich werden können. Diese
15 Wesen sind teils ursprünglich schon verbunden, teils
finden und vereinigen sie sich. Sie entzweien sich und
suchen sich wieder und bewirken so eine unendliche
Produktion auf alle Weise und nach allen Seiten.

Je unvollkommener das Geschöpf ist, desto mehr
20 sind diese Teile einander gleich oder ähnlich, und desto
mehr gleichen sie dem Ganzen. Je vollkommner das
Geschöpf wird, desto unähnlicher werden die Teile
einander. In jenem Falle ist das Ganze den Teilen mehr
oder weniger gleich, in diesem das Ganze den Teilen
25 unähnlich. Je ähnlicher die Teile einander sind, desto
weniger sind sie einander subordiniert. Die Subordina-
tion der Teile deutet auf ein vollkommneres Geschöpf.

Da in allen allgemeinen Sprüchen, sie mögen noch
so gut durchdacht sein, etwas Unfaßliches für den-
30 jenigen liegt, der sie nicht anwenden, der ihnen die
nötigen Beispiele nicht unterlegen kann,[21] so wollen

---

[18] auf dem anatomischen Wege *anatomically*
[19] *leading principle*
[20] der Anlage nach *potentially*
[21] der ihnen die nötigen Beispiele nicht unterlegen kann *who cannot provide the necessary examples for them*

wir zum Anfang nur einige geben, da unsere ganze Arbeit der Aus- und Durchführung dieser und andern Ideen und Maximen gewidmet ist.

Daß eine Pflanze, ja ein Baum, die uns doch als Individuum erscheinen, aus lauter Einzelheiten be- 5 stehn, die sich untereinander und dem Ganzen gleich und ähnlich sind, daran ist wohl kein Zweifel. Wie viele Pflanzen werden durch Absenker [22] fortgepflanzt. Das Auge [23] der letzten Varietät eines Obstbaumes treibt einen Zweig,[24] der wieder eine Anzahl gleicher 10 Augen hervorbringt; und auf ebendiesem Wege geht die Fortpflanzung durch Samen vor sich. Sie ist die Entwicklung einer unzähligen Menge gleicher Individuen aus dem Schoße der Mutterpflanze.

Man sieht hier sogleich, daß das Geheimnis der Fort- 15 pflanzung durch Samen innerhalb jener Maxime schon ausgesprochen ist; und man bemerke, man bedenke nur erst recht,[25] so wird man finden, daß selbst das Samenkorn, das uns als eine individuelle Einheit vorzuliegen scheint, schon eine Versammlung von gleichen 20 und ähnlichen Wesen ist. Man stellt die Bohne gewöhnlich als ein deutliches Muster der Keimung auf. Man nehme eine Bohne, noch ehe sie keimt, in ihrem ganz eingewickelten Zustande, und man findet nach Eröffnung derselben erstlich die zwei Samenblätter,[26] 25 die man nicht glücklich [27] mit dem Mutterkuchen [28] vergleicht: denn es sind zwei wahre, nur aufgetriebene und mehlig ausgefüllte Blätter, welche auch an Licht und Luft grün werden. Ferner entdeckt man schon das

[22] *shoots*
[23] *bud*
[24] **treibt einen Zweig** *sprouts a branch*
[25] **man bedenke nur erst recht** *just consider the matter properly*
[26] *cotyledons, seminal leaves*
[27] **nicht glücklich** *inappropriately*
[28] *placenta*

Federchen,[29] welches abermals zwei ausgebildetere
und weiterer Ausbildung fähige Blätter sind. Bedenkt
man dabei, daß hinter jedem Blattstiele ein Auge, wo
nicht in der Wirklichkeit, doch in der Möglichkeit ruht,
5 so erblickt man in dem uns einfach scheinenden Samen
schon eine Versammlung von mehrern Einzelheiten,
die man einander in der Idee gleich und in der Erscheinung ähnlich nennen kann.

Daß nun das, was der Idee nach gleich ist, in der
10 Erfahrung entweder als gleich, oder als ähnlich, ja
sogar als völlig ungleich und unähnlich erscheinen
kann, darin besteht eigentlich das bewegliche Leben der
Natur, das wir in unsern Blättern [30] zu entwerfen gedenken.

15 Eine Instanz aus dem Tierreich der niedrigsten Stufe
führen wir noch zu mehrerer Anleitung hier vor. Es
gibt Infusionstiere,[31] die sich in ziemlich einfacher
Gestalt vor unserm Auge in der Feuchtigkeit bewegen,
sobald diese aber aufgetrocknet, zerplatzen und eine
20 Menge Körner ausschütten, in die sie wahrscheinlich
bei einem naturgemäßen Gange sich auch in der
Feuchtigkeit zerlegt und so eine unendliche Nachkom-
menschaft hervorgebracht hätten. Doch genug hievon
an dieser Stelle, da bei unserer ganzen Darstellung
25 diese Ansicht wieder hervortreten muß.

Wenn man Pflanzen und Tiere in ihrem unvollkom-
mensten Zustande betrachtet, so sind sie kaum zu
unterscheiden. Ein Lebenspunkt, starr, beweglich oder
halbbeweglich, ist das was unserm Sinne kaum be-
30 merkbar ist. Ob diese ersten Anfänge, nach beiden
Seiten determinabel, durch Licht zur Pflanze, durch
Finsternis zum Tier hinüber zu führen sind, getrauen

[29] *plumule*
[30] *pages*
[31] *Infusoria*

wir uns nicht zu entscheiden, ob es gleich hierüber an Bemerkungen und Analogie nicht fehlt. Soviel aber können wir sagen, daß die aus einer kaum zu sondernden Verwandtschaft als Pflanzen und Tiere nach und nach hervortretenden Geschöpfe nach zwei entge- 5 gengesetzten Seiten sich vervollkommnen, so daß die Pflanze sich zuletzt im Baum dauernd und starr, das Tier im Menschen zur höchsten Beweglichkeit und Freiheit sich verherrlicht.

Gemmation und Prolifikation [32] sind abermals zwei 10 Hauptmaximen des Organismus, die aus jenem Hauptsatz der Koexistenz mehrerer gleichen und ähnlichen Wesen sich herschreiben und eigentlich jene nur auf doppelte Weise aussprechen. Wir werden diese beiden Wege durch das ganze organische Reich durchzu- 15 führen suchen, wodurch sich manches auf eine höchst anschauliche Weise reihen und ordnen wird.

Indem wir den vegetativen Typus betrachten, so stellt sich uns bei demselben sogleich ein Unten und Oben dar. Die untere Stelle nimmt die Wurzel ein, deren 20 Wirkung nach der Erde hingeht, der Feuchtigkeit und der Finsternis angehört, da in gerade entgegengesetzter Richtung der Stengel, der Stamm oder was dessen Stelle bezeichnet, gegen den Himmel, das Licht und die Luft emporstrebt. 25

Wie wir nun einen solchen Wunderbau betrachten und die Art wie er hervorsteigt, näher einsehen lernen, so begegnet uns abermals ein wichtiger Grundsatz der Organisation: daß kein Leben auf einer Oberfläche wirken und daselbst seine hervorbringende Kraft 30 äußern könne; sondern die ganze Lebenstätigkeit verlangt eine Hülle, die gegen das äußere rohe Element, es sei Wasser oder Luft oder Licht, sie schütze, ihr

[32] *proliferation*

zartes Wesen bewahre, damit sie das, was ihrem Innern spezifisch obliegt,[33] vollbringe. Diese Hülle mag nun als Rinde, Haut oder Schale erscheinen; alles was zum Leben hervortreten, alles was lebendig wirken
5 soll, muß eingehüllt sein. Und so gehört auch alles, was nach außen gekehrt ist, nach und nach frühzeitig dem Tode, der Verwesung an. Die Rinden der Bäume, die Häute der Insekten, die Haare und Federn der Tiere, selbst die Oberhaut des Men-
10 schen, sind ewig sich absondernde, abgestoßene, dem Unleben hingegebene Hüllen, hinter denen immer neue Hüllen sich bilden, unter welchen sodann, oberflächlicher oder tiefer, das Leben sein schaffendes Gewebe [34] hervorbringt.
15   Jena, 1807

DER INHALT BEVORWORTET

Von gegenwärtiger Sammlung ist nur gedruckt der Aufsatz über Metamorphose der Pflanzen, welcher, im Jahre 1790 einzeln erscheinend, kalte, fast unfreundliche Begegnung zu erfahren hatte. Solcher Widerwille
20 jedoch war ganz natürlich: die Einschachtelungslehre,[35] der Begriff von Präformation, von sukzessiver Entwicklung des von Adams Zeiten her schon Vor-

---

[33] **was ihrem Innern spezifisch obliegt** *which is specifically incumbent upon its interior*

[34] *tissue*

[35] *theory of encapsulation* (according to which the seed contains all elements of the finished plant and, therefore, all the plants found today have always been in existence since creation). This theory, held by various naturalists earlier in the eighteenth century, among them Albrecht von Haller, stood in the way of the development of evolutionary theory, for it allowed of no metamorphosis.

handenen hatten sich selbst der besten Köpfe im allgemeinen bemächtigt; [36] auch hatte Linné [37] geisteskräftig, bestimmend wie entscheidend, in besonderem Bezug auf Pflanzenbildung, eine dem Zeitgeist gemäßere Vorstellungsart auf die Bahn gebracht.   5

Mein redliches Bemühen blieb daher ganz ohne Wirkung, und, vergnügt, den Leitfaden für meinen eigenen stillen Weg gefunden zu haben, beobachtete ich nur sorgfältiger das Verhältnis, die Wechselwirkung der normalen und abnormen Erscheinungen, beachtete 10 genau was Erfahrung einzeln, gutwillig hergab, und brachte zugleich einen ganzen Sommer mit einer Folge von Versuchen hin, die mich belehren sollten, wie durch Übermaß der Nahrung die Frucht unmöglich zu machen, wie durch Schmälerung sie zu be- 15 schleunigen sei.

Die Gelegenheit ein Gewächshaus nach Belieben zu erhellen oder zu verfinstern, benutzte ich, um die Wirkung des Lichts auf die Pflanzen kennen zu lernen, die Phänomene des Abbleichens und Abweißens [38] be- 20 schäftigten mich vorzüglich, Versuche mit farbigen Glasscheiben wurden gleichfalls angestellt.

Als ich mir genugsame Fertigkeit erworben, das organische Wandeln und Umwandeln der Pflanzenwelt in den meisten Fällen zu beurteilen, die Gestaltenfolge 25 zu erkennen und abzuleiten, fühlte ich mich gedrungen, die Metamorphose der Insekten gleichfalls näher zu kennen.

Diese leugnet niemand: der Lebensverlauf solcher

---

[36] **hatten sich selbst . . . bemächtigt** *had taken possession*
[37] **Carl von Linné** (1707–1778), often called Linnaeus, was a renowned Swedish botanist. He was particularly interested in the classification of plant life. Goethe studied his writings assiduously, but he came to oppose many of this scientist's conclusions.
[38] **des Abbleichens und Abweißens** *of bleaching and whitening*

Geschöpfe ist ein fortwährendes Umbilden, mit Augen
zu sehen und mit Händen zu greifen.[39] Meine frühere,
aus mehrjähriger Erziehung der Seidenwürmer ge-
schöpfte Kenntnis war mir geblieben, ich erweiterte sie
5 indem ich mehrere Gattungen und Arten, vom Ei bis
zum Schmetterling, beobachtete und abbilden ließ,
wovon mir die schätzenswertesten Blätter geblieben
sind.

Hier fand sich kein Widerspruch mit dem was uns
10 in Schriften überliefert wird, und ich brauchte nur ein
Schema tabellarisch auszubilden, wonach man die
einzelnen Erfahrungen folgerecht aufreihen und den
wunderbaren Lebensgang solcher Geschöpfe deutlich
überschauen konnte.

15   Auch von diesen Bemühungen werde ich suchen
Rechenschaft zu geben, ganz unbefangen, da meine
Ansicht keiner andern entgegen steht.

Gleichzeitig mit diesem Studium war meine Auf-
merksamkeit der vergleichenden Anatomie der Tiere,
20 vorzüglich der Säugetiere zugewandt, es regte sich zu
ihr schon ein großes Interesse. Buffon [40] und Daubenton [41] leisteten viel, Camper [42] erschien als Meteor von
Geist, Wissenschaft, Talent und Tätigkeit, Sömmer-

[39] mit Augen zu sehen und mit Händen zu greifen *visible and palpable*
[40] Georges Louis Leclerc, Comte de Buffon (1707–1788), French naturalist. His *Histoire naturelle,* a compendium of the facts of natural history as understood in the eighteenth century, was published in Paris in forty-four quarto volumes between 1749 and 1804.
[41] Louis-Jean-Marie Daubenton (1716–1800), French naturalist who aided Buffon in the writing of parts of the *Histoire naturelle.* He was specially interested in comparative anatomy, plant physiology and mineralogy.
[42] Peter Camper (1722–1789), Dutch naturalist, professor of medicine, surgery, and anatomy at Groningen. His most important work, published in Paris in 1803, concerns comparative anatomy. Goethe was abysmally disappointed when Camper refused to acknowledge the validity of Goethe's findings regarding the presence in man of the intermaxillary bone.

ring [43] zeigte sich bewundernswürdig, Merck [44] wandte
sein immer reges Bestreben auf solche Gegenstände;
mit allen dreien stand ich im besten Verhältnis, mit
Camper briefweise, mit beiden andern in persönlicher,
auch in Abwesenheit fortdauernder Berührung.   5

Im Laufe der Physiognomik [45] mußte Bedeutsamkeit
und Beweglichkeit der Gestalten unsre Aufmerksam-
keit wechselsweise beschäftigen, auch war mit Lavatern
gar manches hierüber gesprochen und gearbeitet
worden.   10

Später konnte ich mich, bei meinem öftern und
längern Aufenthalt in Jena, durch die unermüdliche
Belehrungsgabe Loders, [46] gar bald einiger Einsicht in
tierische und menschliche Bildung erfreuen.

Jene bei Betrachtung der Pflanzen und Insekten ein- 15
mal angenommene Methode leitete mich auch auf
diesem Weg: denn bei Sonderung und Vergleichung
der Gestalten mußte Bildung und Umbildung auch
hier wechselsweise zur Sprache kommen.

Die damalige Zeit jedoch war dunkler, als man sich 20
es jetzt vorstellen kann. Man behauptete zum Beispiel,
es hange nur vom Menschen ab, bequem auf allen

[43] **Samuel Thomas von Sömmerring** (1755–1830), professor of
anatomy and surgery in Kassel and of medicine in Mainz. He wrote
several brilliantly illustrated works on anatomy.

[44] **Johann Heinrich Merck** (1741–1791), from 1771 on a close
friend of Goethe. Some believe he was the prototype for some of the
more waggish traits of Mephistopheles in *Faust*. Osteology and
paleontology were among his many interests.

[45] **Physiognomik** *physiognomy*, an ancient pseudo-science already
known and discussed by the ancient Greeks, among them Aristotle.
Herder and others, but mainly Goethe, contributed to the chief
eighteenth-century work on this subject: *Physiognomische Fragmente
zur Beförderung der Menschenkenntnis und Menschenliebe* (1775–
1778). This remarkable book was written by a clergyman of the
Reformed Church in Zürich, **Johann Kaspar Lavater** (1741–1801).

[46] **Justus Christian von Loder** (1753–1832), professor of anatomy
and surgery in Jena from 1778 to 1803. While still in Jena he gave
Goethe instruction in anatomy. Eventually he became personal physi-
cian to the Tsar in Moscow.

Vieren zu gehen, und Bären, wenn sie sich eine Zeitlang aufrecht hielten, könnten zu Menschen werden.
Der verwegene Diderot [47] wagte gewisse Vorschläge,
wie man ziegenfüßige Faune hervorbringen könne, um
5 solche in Livree, zu besonderm Staat und Auszeich-
nung, den Großen und Reichen auf die Kutsche zu
stiften. [48]
Lange Zeit wollte sich der Unterschied zwischen
Menschen und Tieren nicht finden lassen, endlich
10 glaubte man den Affen dadurch entschieden von uns
zu trennen, weil er seine vier Schneidezähne in einem
empirisch wirklich abzusondernden Knochen trage,
und so schwankte das ganze Wissen, ernst- und
scherzhaft, [49] zwischen Versuchen das Halbwahre zu
15 bestätigen, dem Falschen irgend einen Schein zu ver-
leihen, sich aber dabei in willkürlicher, grillenhafter
Tätigkeit zu beschäftigen und zu erhalten. [50] Die größte
Verwirrung jedoch brachte der Streit hervor, ob man die
Schönheit als etwas Wirkliches, den Objekten In-
20 wohnendes, oder als relativ, konventionell, ja indi-
viduell dem Beschauer und Anerkenner zuschreiben
müsse.
Ich hatte mich indessen ganz der Knochenlehre ge-

---

[47] **Denis Diderot** (1713–1784), prominent French author who
founded the monumental *Encyclopédie*. Goethe translated his *Essai
sur la peinture* (Essay on painting) and his short novel *Le neveu de
Rameau*.

[48] *put*

[49] *in earnest as well as in jest*

[50] The last objective argument against the general assumption now
called the theory of evolution was removed by Goethe's finding in
man the vestiges of the intermaxillary bone, which until then was
thought to exist only in the higher animals. The manuscript of his
study *Über den Zwischenkiefer des Menschen und der Tiere* was
completed in 1784. However, because his conclusions were not ac-
cepted by other scientists (cf. note 42), it was not published until
1820 among his other pieces on morphology. Eventually Goethe was
able to take some satisfaction in the belated recognition accorded his
scientific achievement.

widmet; denn im Geripp wird uns ja der entschiedne
Charakter jeder Gestalt sicher und für ewige Zeiten
aufbewahrt. Ältere und neuere Überbleibsel versam-
melte ich um mich her, und auf Reisen spähte ich
sorgfältig in Museen und Kabinetten nach solchen 5
Geschöpfen, deren Bildung im ganzen oder einzelnen
mir belehrend sein könnte.

Hiebei fühlte ich bald die Notwendigkeit einen Typus
aufzustellen, an welchem alle Säugetiere nach Übereinstimmung und Verschiedenheit zu prüfen wären, 10
und wie ich früher die Urpflanze [51] aufgesucht, so
trachtete ich nunmehr das Urtier zu finden, das heißt
denn doch zuletzt: den Begriff, die Idee des Tiers.[52]

Meine mühselige, qualvolle Nachforschung ward erleichtert, ja versüßt, indem Herder die Ideen zur Ge- 15
schichte der Menschheit [53] aufzuzeichnen unternahm.
Unser tägliches Gespräch beschäftigte sich mit den
Uranfängen der Wasser-Erde und der darauf von alters-
her sich entwickelnden organischen Geschöpfe. Der
Uranfang und dessen unablässiges Fortbilden ward 20
immer besprochen und unser wissenschaftlicher Besitz
durch wechselseitiges Mitteilen und Bekämpfen, täglich
geläutert und bereichert.

Mit andern Freunden unterhielt ich mich gleichfalls
auf das lebhafteste über diese Gegenstände, die mich 25
leidenschaftlich beschäftigten, und nicht ohne Einwirkung und wechselseitigen Nutzen blieben solche

---

[51] **Urpflanze** *primeval plant.* The idea of an archetypal plant from
which all other higher plants supposedly derived came to Goethe
in 1787 during his stay in Italy. This was the subject he discussed with
Schiller in 1794, as Goethe tells us in *Glückliches Ereignis.*
[52] He pursued this concept in his various researches in comparative
anatomy.
[53] **J. G. Herder's** *Ideen zur Philosophie der Geschichte der Menschheit* (1784–1791). Even though it remained unfinished, it is Herder's
most significant work and one of the great books of the eighteenth
century.

Gespräche. Ja es ist vielleicht nicht anmaßlich, wenn
wir uns einbilden, manches von daher Entsprungene,
durch Tradition in der wissenschaftlichen Welt Fortge-
pflanzte trage nun Früchte deren wir uns erfreuen,
5 ob man gleich nicht immer den Garten benamset, der
die Pfropfreiser hergegeben.

Gegenwärtig ist bei mehr und mehr sich verbreitender
Erfahrung, durch mehr sich vertiefende Philosophie
manches zum Gebrauch gekommen, was zur Zeit als
10 die nachstehenden Aufsätze geschrieben wurden, mir
und andern unzugänglich war. Man sehe daher den
Inhalt dieser Blätter, wenn man sie auch jetzt für
überflüssig halten sollte, geschichtlich an, da sie denn
als Zeugnisse einer stillen, beharrlichen, folgerechten
15 Tätigkeit gelten mögen.

Shakespeare
und kein Ende

THIS ESSAY, reflecting the objectivity and critical discrimination which Goethe had gained through four decades of experience as a poet, critic, translator, and theater director, is divided into three parts, each examining a different aspect of the English dramatist:

  I. Shakespeare als Dichter überhaupt;
 II. Shakespeare, verglichen mit den Alten und Neusten;
III. Shakespeare als Theaterdichter.

Although Goethe was still filled with vast admiration for Shakespeare, he no longer saw in him the breathtaking Promethean phenomenon he had presented in his essay of 1771.

Parts I and II were written in 1813 and were printed two years later in the *Morgenblatt für gebildete Stände*. The third part, composed in 1816, did not appear until 1826 in *Über Kunst und Altertum*, Bd. V, Heft 3. All three were reprinted in Goethe's *Ausgabe letzter Hand*, Bd. XLV (1833).

SHAKESPEARE

UND KEIN ENDE

Es IST über Shakespeare schon so viel gesagt, daß
es scheinen möchte, als wäre nichts mehr zu sagen
übrig, und doch ist dies die Eigenschaft des Geistes,
daß er den Geist ewig anregt. Diesmal will ich Shake-
5 speare von mehr als einer Seite betrachten, und zwar
erstlich als Dichter überhaupt, sodann verglichen mit
den Alten und den Neusten, und zuletzt als eigentlichen Theaterdichter. Ich werde zu entwickeln suchen,
was die Nachahmung seiner Art auf uns gewirkt, und
10 was sie überhaupt wirken kann. Ich werde meine
Beistimmung zu dem, was schon gesagt ist, dadurch
geben, daß ich es allenfalls wiederhole, meine Abstim-
mung ¹ aber kurz und positiv ausdrücken, ohne mich

¹ *disagreement*

in Streit und Widerspruch zu verwickeln. Hier sei also
von jenem ersten Punkt zuvörderst die Rede.

I. SHAKESPEARE ALS DICHTER ÜBERHAUPT

Das Höchste, wozu der Mensch gelangen kann, ist
das Bewußtsein eigner Gesinnungen und Gedanken, das
Erkennen seiner selbst, welches ihm die Einleitung [2] 5
gibt, auch fremde Gemütsarten [3] innig zu erkennen.
Nun gibt es Menschen, die mit einer natürlichen Anlage hiezu geboren sind und solche durch Erfahrung
zu praktischen Zwecken ausbilden. Hieraus entsteht
die Fähigkeit, der Welt und den Geschäften im 10
höheren Sinn etwas abzugewinnen. Mit jener Anlage
nun wird auch der Dichter geboren, nur daß er sie
nicht zu unmittelbaren, irdischen Zwecken, sondern
zu einem höhern, geistigen, allgemeinen Zweck aus-
bildet. Nennen wir nun Shakespeare einen der größten 15
Dichter, so gestehen wir zugleich, daß nicht leicht
jemand die Welt so gewahrte [4] wie er, daß nicht leicht
jemand, der sein inneres Anschauen [5] aussprach, den
Leser in höherm Grade mit in das Bewußtsein der Welt
versetzt.[6] Sie wird für uns völlig durchsichtig; wir finden 20
uns auf einmal als Vertraute der Tugend und des
Lasters, der Größe, der Kleinheit, des Adels, der Ver-
worfenheit, und dieses alles, ja noch mehr, durch
die enfachsten Mittel. Fragen wir aber nach diesen
Mitteln, so scheint es, als arbeite er für unsre Augen; 25
aber wir sind getäuscht: Shakespeares Werke sind

[2] *preparatory instruction*
[3] **fremde Gemütsarten** *the mentality of others*
[4] *apprehended*
[5] **inneres Anschauen** *intuition*
[6] **den Leser . . . mit in das Bewußtsein der Welt versetzt** *draws
the reader . . . along into a consciousness of the world.*

nicht für die Augen des Leibes. Ich will mich zu erklären suchen.

Das Auge mag wohl der klarste Sinn genannt werden,
durch den die leichteste Überlieferung [7] möglich ist.
5 Aber der innere Sinn ist noch klärer,[8] und zu ihm gelangt die höchste und schnellste Überlieferung durchs
Wort; denn dieses ist eigentlich fruchtbringend, wenn
das, was wir durchs Auge auffassen, an und für sich
fremd und keineswegs so tiefwirkend vor uns steht.
10 Shakespeare nun spricht durchaus an unsern innern
Sinn; durch diesen belebt sich zugleich die Bilderwelt
der Einbildungskraft, und so entspringt eine voll-
ständige Wirkung, von der wir uns keine Rechenschaft
zu geben wissen; denn hier liegt eben der Grund von
15 jener Täuschung, als begebe sich alles [9] vor unsern
Augen. Betrachtet man aber die Shakespeareschen
Stücke genau, so enthalten sie viel weniger sinnliche
Tat [10] als geistiges Wort.[11] Er läßt geschehen, was sich
leicht imaginieren läßt, ja was besser imaginiert als
20 gesehen wird. Hamlets Geist, Macbeths Hexen, manche
Grausamkeiten erhalten ihren Wert erst durch die Einbildungskraft, und die vielfältigen kleinen Zwischen-
szenen sind bloß auf sie berechnet. Alle solche Dinge
gehen beim Lesen leicht und gehörig an uns vorbei,
25 da sie bei der Vorstellung lasten und störend, ja wider-
lich erscheinen.

Durchs lebendige Wort wirkt Shakespeare, und dies
läßt sich beim Vorlesen am besten überliefern; [12] der
Hörer wird nicht zerstreut, weder durch schickliche
30 noch unschickliche Darstellung. Es gibt keinen höhern

---

[7] *transmission, communication*
[8] klärer = klarer
[9] als begebe sich alles *as if everything were taking place*
[10] sinnliche Tat *deed[s] perceived by the [onlooker's] senses*
[11] geistiges Wort *word[s] appealing to the imagination and intellect*
[12] läßt sich . . . überliefern *can be conveyed*

Genuß und keinen reinern, als sich mit geschloßnen
Augen durch eine natürlich richtige Stimme ein Shake-
spearesches Stück nicht deklamieren, sondern rezi-
tieren zu lassen. Man folgt dem schlichten Faden, an
dem er die Ereignisse abspinnt. Nach der Bezeichnung 5
der Charaktere bilden wir uns zwar gewisse Gestalten,
aber eigentlich sollen wir durch eine Folge von Worten
und Reden erfahren, was im Innern vorgeht, und hier
scheinen alle Mitspielenden sich verabredet zu haben,
uns über nichts im Dunkeln, im Zweifel zu lassen. 10
Dazu konspirieren Helden und Kriegsknechte, Herren
und Sklaven, Könige und Boten, ja die untergeordneten
Figuren wirken hier oft tätiger als die Hauptgestalten.
Alles, was bei einer großen Weltbegebenheit heimlich
durch die Lüfte säuselt, was in Momenten ungeheurer 15
Ereignisse sich in dem Herzen der Menschen verbirgt,
wird ausgesprochen; was ein Gemüt [13] ängstlich ver-
schließt und versteckt, wird hier frei und flüssig an
den Tag gefördert; wir erfahren die Wahrheit des
Lebens und wissen nicht wie. 20

Shakespeare gesellt sich zum Weltgeist; er durch-
dringt die Welt wie jener; beiden ist nichts verborgen;
aber wenn des Weltgeists Geschäft ist, Geheimnisse
vor, ja oft nach der Tat zu bewahren, so ist es der
Sinn des Dichters, das Geheimnis zu verschwätzen 25
und uns vor, oder doch gewiß in der Tat zu Vertrauten
zu machen. Der lasterhafte Mächtige, der wohlden-
kende Beschränkte, der leidenschaftlich Hingerissene,
der ruhig Betrachtende, alle tragen ihr Herz in der
Hand, oft gegen alle Wahrscheinlichkeit; jedermann 30
ist redsam und redselig.[14] Genug, das Geheimnis muß
heraus, und sollten es die Steine verkünden.[15] Selbst das

[13] *mind*
[14] **redsam = redselig** *loquacious*
[15] **und sollten es die Steine verkünden** *and even if the stones should
make it known*

Unbelebte drängt sich hinzu, alles Untergeordnete
spricht mit,[16] die Elemente, Himmel-, Erd- und Meer-
phänomene, Donner und Blitz, wilde Tiere erheben
ihre Stimme, oft scheinbar als Gleichnis, aber ein wie
5 das andre Mal mithandelnd.[17]

Aber auch die zivilisierte Welt muß ihre Schätze
hergeben; Künste und Wissenschaften, Handwerke und
Gewerbe, alles reicht seine Gaben dar. Shakespeares
Dichtungen sind ein großer belebter Jahrmarkt, und
10 diesen Reichtum hat er seinem Vaterlande zu danken.

Überall ist England, das meerumflossene, von Nebel
und Wolken umzogene, nach allen Weltgegenden
tätige.[18] Der Dichter lebt zur würdigen und wichtigen
Zeit und stellt ihre Bildung, ja Verbildung [19] mit großer
15 Heiterkeit uns dar, ja er würde nicht so sehr auf uns
wirken, wenn er sich nicht seiner lebendigen Zeit
gleichgestellt hätte. Niemand hat das materielle Kostüm
mehr verachtet als er; er kennt recht gut das innere
Menschenkostüm, und hier gleichen sich alle. Man sagt,
20 er habe die Römer fürtrefflich [20] dargestellt; ich finde es
nicht; es sind lauter [21] eingefleischte Engländer, aber
freilich Menschen sind es, Menschen von Grund aus,[22]
und denen paßt wohl auch die römische Toga. Hat
man sich einmal hierauf eingerichtet,[23] so findet man
25 seine Anachronismen höchst lobenswürdig, und gerade
daß er gegen das äußere Kostüm verstößt, das ist es,
was seine Werke so lebendig macht.

Und so sei es genug an diesen wenigen Worten,

[16] sprecht mit *joins in*
[17] mithandelnd *taking part in the action*
[18] nach allen Weltgegenden tätige *with an active relation to all the regions of the world.*
[19] *miseducation;* Goethe uses the compound Verbildung in jarring contrast to Bildung.
[20] fürtrefflich = vortrefflich
[21] *nothing but*
[22] Menschen von Grund aus *genuine human beings*
[23] Hat man sich einmal hierauf eingerichtet *Once one has become adjusted to this*

wodurch Shakespeares Verdienst keineswegs erschöpft
ist. Seine Freunde und Verehrer werden noch manches
hinzuzusetzen haben. Doch stehe noch eine Bemerkung
hier: schwerlich wird man einen Dichter finden, dessen
einzelnen Werken jedesmal ein andrer Begriff zugrunde 5
liegt und im ganzen wirksam ist,[24] wie an den seinigen
sich nachweisen läßt.

So geht durch den ganzen Coriolan der Ärger durch,
daß die Volksmasse den Vorzug der Bessern nicht anerkennen will. Im Cäsar bezieht sich alles auf den Begriff, 10
daß die Bessern den obersten Platz nicht wollen einge-
nommen sehen, weil sie irrig wähnen, in Gesamtheit
wirken zu können. Antonius und Kleopatra spricht mit
tausend Zungen, daß Genuß und Tat unverträglich sei.
Und so würde man bei weiterer Untersuchung ihn 15
noch öfter zu bewundern haben.

II. SHAKESPEARE, VERGLICHEN MIT DEN ALTEN UND NEUSTEN

Das Interesse, welches Shakespeares großen Geist
belebt, liegt innerhalb der Welt: denn wenn auch Wahr-
sagung und Wahnsinn, Träume, Ahnungen, Wunder-
zeichen, Feen und Gnomen, Gespenster, Unholde und 20
Zauberer ein magisches Element bilden, das zur rechten
Zeit seine Dichtungen durchschwebt, so sind doch
jene Truggestalten keineswegs Hauptingredienzien
seiner Werke, sondern die Wahrheit und Tüchtigkeit
seines Lebens ist die große Base, worauf sie ruhen; 25
deshalb uns alles was sich von ihm herschreibt,[25] so
echt und kernhaft erscheint. Man hat daher schon
eingesehen, daß er nicht sowohl zu den Dichtern der

---

[24] dessen einzelnen Werken jedesmal ein andrer Begriff zugrunde
liegt und im ganzen wirksam ist *each of whose works is based on a
different concept effective in the entire [play].*
[25] alles was sich von ihm herschreibt *everything by him*

neuern Welt, welche man die romantischen genannt
hat, sondern vielmehr zu jenen der naiven [26] Gattung
gehöre, da sein Wert eigentlich auf der Gegenwart ruht,
und er kaum von der zartesten Seite, ja nur mit der
5 äußersten Spitze an die Sehnsucht [27] grenzt.

Deß ohngeachtet [28] aber ist er, näher betrachtet, ein
entschieden moderner Dichter, von den Alten durch
eine ungeheure Kluft getrennt, nicht etwa der äußern
Form nach, welche hier ganz zu beseitigen ist, sondern
10 dem innersten tiefsten Sinne nach.

Zuvörderst aber verwahre ich mich und sage, daß
keineswegs meine Absicht sei, nachfolgende Termi-
nologie als erschöpfend und abschließend zu gebrau-
chen; vielmehr soll es nur ein Versuch sein, zu andern,
15 uns schon bekannten Gegensätzen nicht sowohl einen
neuen hinzuzufügen, als, daß er schon in jenen enthalten sei, anzudeuten. Diese Gegensätze sind:

	Antik	Modern
	Naiv	Sentimental
20	Heidnisch	Christlich
	Heldenhaft	Romantisch
	Real	Ideal
	Notwendigkeit	Freiheit
	Sollen	Wollen

25   Die größten Qualen sowie die meisten, welchen der
Mensch ausgesetzt sein kann, entspringen aus den
einem jeden inwohnenden Mißverhältnissen zwischen
Sollen und Wollen, sodann aber zwischen Sollen und

[26] Goethe uses naiv in the sense employed by Schiller in his famous
essay *Über naive und sentimentalische Dichtung* (1795–1796). Here
Schiller speaks of Goethe as a "naiv" author, meaning one who is
a realist in tune with nature, while he himself strives to recapture a
union with nature by means of his idealism. Schiller uses the word
"sentimental" to characterize such a writer.

[27] *yearning* (for the "natural state of man," lost through civiliza-
tion and education, a condition typical of the sentimental poet).

[28] **Deß ohngeachtet = Dessen ungeachtet**

Vollbringen, Wollen und Vollbringen, und diese sind
es, die ihn auf seinem Lebensgange so oft in Verlegenheit setzen. Die geringste Verlegenheit, die aus
einem leichten Irrtum, der unerwartet und schadlos
gelöst werden kann, entspringt, gibt die Anlage zu 5
lächerlichen Situationen. Die höchste Verlegenheit
hingegen, unauflöslich oder unaufgelöst, bringt uns die
tragischen Momente dar.

Vorherrschend in den alten Dichtungen ist das Unverhältnis [29] zwischen Sollen und Vollbringen, in den 10
neuern zwischen Wollen und Vollbringen. Man nehme
diesen durchgreifenden Unterschied unter die übrigen
Gegensätze einstweilen auf und versuche, ob sich damit
etwas leisten lasse. Vorherrschend, sagte ich, sind in
beiden Epochen bald diese, bald jene Seite; weil aber 15
Sollen und Wollen im Menschen nicht radikal getrennt
werden kann, so müssen überall beide Ansichten zugleich, wenn schon die eine vorwaltend und die andre
untergeordnet, gefunden werden. Das Sollen wird dem
Menschen auferlegt, das Muß ist eine harte Nuß; das 20
Wollen legt der Mensch sich selbst auf, des Menschen
Wille ist sein Himmelreich. Ein beharrendes Sollen
ist lästig, Unvermögen des Vollbringens fürchterlich,
ein beharrliches Wollen erfreulich, und bei einem
festen Willen kann man sich sogar über das Unver- 25
mögen des Vollbringens getröstet sehen. Betrachte man
als eine Art Dichtung die Kartenspiele; auch diese bestehen aus jenen beiden Elementen. Die Form des
Spiels, verbunden mit dem Zufalle, vertritt hier die
Stelle des Sollens, gerade wie es die Alten unter der 30
Form des Schicksals kannten; das Wollen, verbunden
mit der Fähigkeit des Spielers, wirkt ihm entgegen.
In diesem Sinn möchte ich das Whistspiel [30] antik

---

[29] Unverhältnis = Mißverhältnis
[30] Whistspiel an English card game which can be considered
the forerunner of bridge.

nennen. Die Form dieses Spiels beschränkt den Zufall,
ja das Wollen selbst. Ich muß bei gegebenen Mit- und
Gegenspielern mit den Karten, die mir in die Hand
kommen, eine lange Reihe von Zufällen lenken, ohne
5 ihnen ausweichen zu können; beim Lombre ³¹ und
ähnlichen Spielen findet das Gegenteil statt. Hier sind
meinem Wollen und Wagen gar viele Türen gelassen;
ich kann die Karten, die mir zufallen, verleugnen, in
verschiedenem Sinne gelten lassen, halb oder ganz
10 verwerfen, vom Glück Hülfe rufen, ja durch ein um-
gekehrtes Verfahren aus den schlechtesten Blättern ³²
den größten Vorteil ziehen, und so gleichen diese
Art Spiele vollkommen der modernen Denk- und
Dichtart.
15   Die alte Tragödie beruht auf einem unausweichlichen
Sollen, das durch ein entgegenwirkendes Wollen nur
geschärft und beschleunigt wird. Hier ist der Sitz
alles Furchtbaren der Orakel, die Region, in welcher
Ödipus ³³ über alle thront. Zarter erscheint uns das
20 Sollen als Pflicht in der Antigone,³⁴ und in wie viele
Formen verwandelt tritt es nicht auf. Aber alles Sollen
ist despotisch. Es gehöre der Vernunft an: ³⁵ wie das
Sitten- und Stadtgesetz, oder der Natur: ³⁶ wie die
Gesetze des Werdens, Wachsens und Vergehens, des
25 Lebens und Todes. Vor allem diesem schaudern wir,
ohne zu bedenken, daß das Wohl des Ganzen dadurch
bezielt ³⁷ sei. Das Wollen hingegen ist frei, scheint frei

---

³¹ **Lombre** *omber.* This Spanish card game was very popular in
France in the seventeenth century and in Germany during the eighteenth.
³² *cards*
³³ Goethe is referring to the principal character in *Oedipus the
King,* a powerful tragedy by Sophocles (496–406 B.C.).
³⁴ **Antigone** also a tragedy by Sophocles.
³⁵ **Es gehöre der Vernunft an** *whether it be a part of reason*
³⁶ **oder der Natur** *or of Nature*
³⁷ **dadurch bezielt = darauf abgezielt** *intended thereby*

und begünstigt den einzelnen. Daher ist das Wollen schmeichlerisch und mußte sich der Menschen bemächtigen, sobald sie es kennenlernten. Es ist der Gott der neuen Zeit; ihm hingegeben, fürchten wir uns vor dem Entgegengesetzten, und hier liegt der Grund, 5 warum unsre Kunst sowie unsre Sinnesart von der antiken ewig getrennt bleibt. Durch das Sollen wird die Tragödie groß und stark, durch das Wollen schwach und klein. Auf dem letzten Wege ist das sogenannte Drama entstanden, indem man das ungeheure Sollen 10 durch ein Wollen auflöste; aber eben weil dieses unsrer Schwachheit zu Hülfe kommt, so fühlen wir uns gerührt, wenn wir nach peinlicher Erwartung zuletzt noch kümmerlich getröstet werden.

Wende ich mich nun nach diesen Vorbetrachtungen 15 zu Shakespeare, so muß der Wunsch entspringen, daß meine Leser selbst Vergleichung und Anwendung übernehmen möchten. Hier tritt Shakespeare einzig hervor, indem der das Alte und Neue auf eine überschwengliche Weise verbindet. Wollen und Sollen suchen sich 20 durchaus in seinen Stücken ins Gleichgewicht zu setzen; beide bekämpfen sich mit Gewalt, doch immer so, daß das Wollen im Nachteile bleibt.

Niemand hat vielleicht herrlicher als er die erste große Verknüpfung des Wollens und Sollens im in- 25 dividuellen Charakter dargestellt. Die Person, von der Seite des Charakters betrachtet, soll: sie ist beschränkt, zu einem Besondern bestimmt; als Mensch aber will sie. Sie ist unbegrenzt und fordert das Allgemeine. Hier entspringt schon ein innerer Konflikt, und diesen läßt 30 Shakespeare vor allen andern hervortreten. Nun aber kommt ein äußerer hinzu, und der erhitzt sich öfters dadurch, daß ein unzulängliches Wollen durch Veranlassungen zum unerläßlichen Sollen erhöht wird. Diese Maxime habe ich früher an Hamlet nachgewiesen; sie 35

wiederholt sich aber bei Shakespeare; denn wie Hamlet
durch den Geist, so kommt Macbeth durch Hexen,
Hekate und die Überhexe,[38] sein Weib, Brutus durch
die Freunde in eine Klemme, der sie nicht gewachsen
5 sind; ja sogar im Coriolan läßt sich das Ähnliche
finden; genug, ein Wollen, das über die Kräfte eines
Individuums hinausgeht, ist modern. Daß es aber
Shakespeare nicht von innen entspringen, sondern
durch äußere Veranlassung aufregen läßt, dadurch wird
10 es zu einer Art von Sollen und nähert sich dem Antiken.
Denn alle Helden des dichterischen Altertums wollen
nur das, was Menschen möglich ist, und daher entspringt das schöne Gleichgewicht zwischen Wollen,
Sollen und Vollbringen; doch steht ihr Sollen immer
15 zu schroff da, als daß es uns, wenn wir es auch bewundern, anmuten könnte.[39] Eine Notwendigkeit, die
mehr oder weniger oder völlig alle Freiheit ausschließt,
verträgt sich nicht mehr mit unsern Gesinnungen; [40]
diesen hat jedoch Shakespeare auf seinem Wege sich
20 genähert; denn indem er das Notwendige sittlich [41]
macht, so verknüpft er die alte und neue Welt zu unserm freudigen Erstaunen. Ließe sich etwas von ihm
lernen, so wäre hier der Punkt, den wir in seiner Schule
studieren müßten. Anstatt unsre Romantik, die nicht zu
25 schelten noch zu verwerfen sein mag, über die Gebühr
ausschließlich zu erheben und ihr einseitig nachzu-
hängen, wodurch ihre starke, derbe, tüchtige Seite ver-
kannt und verderbt wird, sollten wir suchen, jenen
großen, unvereinbar scheinenden Gegensatz um so
30 mehr in uns zu vereinigen, als ein großer und einziger

[38] **Hekate und die Überhexe** *Hecate and the superwitch.* In ancient
times the goddess of the moon, earth, and underworld, Hecate was
later regarded as the dark goddess of ghosts, incantations, and magic.
[39] **als daß es uns** . . . **anmuten könnte** *for it to appeal to us*
[40] *convictions*
[41] *ethical*

Meister, den wir so höchlich schätzen und oft, ohne zu wissen warum, über alles präkonisieren,[42] das Wunder wirklich schon geleistet hat.[43] Freilich hatte er den Vorteil, daß er zur rechten Erntezeit kam, daß er in einem lebensreichen protestantischen Lande wirken 5 durfte, wo der bigotte Wahn eine Zeitlang schwieg, so daß einem wahren Naturfrommen wie Shakespeare die Freiheit blieb, sein reines Innere, ohne Bezug auf irgendeine bestimmte Religion, religios [44] zu entwickeln.

Vorstehendes ward im Sommer 1813 geschrieben, 10 und man will daran nicht markten noch mäkeln, sondern nur an das oben Gesagte erinnern: daß Gegenwärtiges gleichfalls ein einzelner Versuch sei, um zu zeigen, wie die verschiedenen poetischen Geister jenen ungeheuern und unter so viel Gestalten hervortretenden 15 Gegensatz auf ihre Weise zu vereinigen und aufzulösen gesucht. Mehreres zu sagen wäre um so überflüssiger, als man seit gedachter Zeit auf diese Frage von allen Seiten aufmerksam gemacht worden, und wir darüber fürtreffliche Erklärungen erhalten haben. 20 Vor allen gedenke ich Blümners höchst schätzbare Abhandlung über die Idee des Schicksals in den Tragödien des Äschylus und deren fürtreffliche Rezension in den Ergänzungsblättern der Jenaischen Literaturzeitung.[45] Worauf ich mich denn ohne weiteres zu dem 25 dritten Punkt wende, welcher sich unmittelbar auf das deutsche Theater bezieht und auf jenen Vorsatz, welchen Schiller gefaßt, dasselbe auch für die Zukunft zu begründen.

[42] *extol*
[43] Construe: **als ein großer und einziger Meister das Wunder wirklich schon geleistet hat.**
[44] religios = religiös
[45] **Heinrich Blümner's** (1765–1839) treatise appeared in Leipzig in 1814 and the review in No. 12 of the *Jenaische Allgemeine Literaturzeitung.*

III. SHAKESPEARE ALS THEATERDICHTER

Wenn Kunstliebhaber und -freunde irgendein Werk
freudig genießen wollen, so ergötzen sie sich am Ganzen
und durchdringen sich von der Einheit, die ihm der
Künstler [46] geben können. Wer hingegen theoretisch
5 über solche Arbeiten sprechen, etwas von ihnen be-
haupten und also lehren und belehren will, dem wird
Sondern [47] zur Pflicht. Diese glaubten wir zu erfüllen,
indem wir Shakespeare erst als Dichter überhaupt
betrachteten und sodann mit den Alten und den
10 Neuesten verglichen. Nun aber gedenken wir unsern
Vorsatz dadurch abzuschließen, daß wir ihn als
Theaterdichter betrachten.

Shakespeares Name und Verdienst gehören in die
Geschichte der Poesie; aber es ist eine Ungerechtigkeit
15 gegen alle Theaterdichter früherer und späterer Zeiten,
sein ganzes Verdienst in der Geschichte des Theaters
aufzuführen.

Ein allgemein anerkanntes Talent kann von seinen
Fähigkeiten einen Gebrauch machen, der problematisch
20 ist. Nicht alles was der Vortreffliche tut, geschieht auf
die vortrefflichste Weise. So gehört Shakespeare notwendig in die Geschichte der Poesie; in der Geschichte
des Theaters tritt er nur zufällig auf. Weil man ihn
dort [48] unbedingt verehren kann, so muß man hier [49]
25 die Bedingungen erwägen, in die er sich fügte, und
diese Bedingungen nicht als Tugenden oder als Muster
anpreisen.

Wir unterscheiden nahverwandte Dichtungsarten,
die aber bei lebendiger Behandlung oft zusammen-

---

[46] Supply: **hat**
[47] *sifting, discrimination*
[48] i.e., in the history of poetry
[49] *in the latter*

fließen: Epos, Dialog, Drama, Theaterstück lassen sich
sondern. Epos fordert mündliche Überlieferungen [50] an
die Menge durch einen einzelnen; Dialog Gespräch in
geschlossener Gesellschaft, wo die Menge allenfalls
zuhören mag; Drama Gespräch in Handlungen, wenn 5
es auch nur vor der Einbildungskraft geführt würde;
Theaterstück [51] alles dreies [52] zusammen, insofern es
den Sinn des Auges mit beschäftigt und unter gewissen
Bedingungen örtlicher und persönlicher Gegenwart
faßlich werden kann. 10

Shakespeares Werke sind in diesem Sinne am
meisten dramatisch; durch seine Behandlungsart, das
innerste Leben hervorzukehren, gewinnt er den Leser;
die theatralischen Forderungen erscheinen ihm nichtig,
und so macht er sichs bequem und man läßt sichs, 15
geistig genommen, mit ihm bequem werden.[53] Wir
springen mit ihm von Lokalität zu Lokalität, unsere
Einbildungskraft ersetzt alle Zwischenhandlungen, die
er ausläßt, ja wir wissen ihm Dank,[54] daß er unsere
Geisteskräfte auf eine so würdige Weise anregt. Da-20
durch, daß er alles unter der Theaterform vorbringt,
erleichtert er der Einbildungskraft die Operation; denn
mit den "Brettern die die Welt bedeuten" sind wir be-
kannter als mit der Welt selbst, und wir mögen das
Wunderlichste lesen und hören, so meinen wir, das 25
könne auch da droben einmal vor unsern Augen vor-
gehen; daher die so oft mißlungene Bearbeitung von
beliebten Romanen in Schauspielen.

[50] mündliche Überlieferungen *recitation*
[51] Theaterstück *a play expressly intended to be performed on the
stage*, in contrast to Drama, which Goethe uses in this context to
mean a play that can be enjoyed as a literary work, i.e., as closet
drama.
[52] alles dreies = alle drei
[53] man läßt sichs . . . mit ihm bequem werden *one joins him in
taking things easy*
[54] wir wissen ihm Dank *we are grateful to him*

Genau aber genommen, so ist nichts theatralisch,
als was für die Augen zugleich symbolisch ist: eine
wichtige Handlung, die auf eine noch wichtigere
deutet. Daß Shakespeare auch diesen Gipfel zu erfassen
5 gewußt, bezeugt jener Augenblick, wo dem todkranken
schlummernden König der Sohn und Nachfolger die
Krone von seiner Seite wegnimmt, sie aufsetzt und
damit fortstolziert.[55] Dieses sind aber nur Momente,
ausgesäte Juwelen, die durch viel Untheatralisches aus-
10 einandergehalten werden. Shakespeares ganze Ver-
fahrungsart findet an der eigentlichen Bühne etwas
Widerstrebendes; sein großes Talent ist das eines
Epitomators,[56] und da der Dichter überhaupt als Epitomator der Natur erscheint, so müssen wir auch hier
15 Shakespeares großes Verdienst anerkennen; nur
leugnen wir dabei, und zwar zu seinen Ehren, daß die
Bühne ein würdiger Raum für sein Genie gewesen.
Indessen veranlaßt ihn grade diese Bühnenenge [57] zu
eigner Begrenzung. Hier aber nicht, wie andere Dichter,
20 wählt er sich zu einzelnen Arbeiten besondere Stoffe,
sondern er legt einen Begriff in den Mittelpunkt und
bezieht auf diesen die Welt und das Universum. Wie er
alte und neue Geschichte in die Enge zieht,[58] kann er
den Stoff von jeder Chronik brauchen, an die er sich
25 oft sogar wörtlich hält. Nicht so gewissenhaft verfährt
er mit den Novellen, wie uns Hamlet bezeugt. Romeo
und Julie bleibt der Überlieferung [59] getreuer; doch
zerstört er den tragischen Gehalt derselben beinahe
ganz durch die zwei komischen Figuren Mercutio und
30 die Amme, wahrscheinlich von zwei beliebten Schau-
spielern, die Amme wohl auch von einer Mannsperson

---

[55] Cf. Shakespeare's *Henry IV, Part II*, Act IV, Scene 4.
[56] *summarizer*
[57] Bühnenenge *constraints deriving from the requirements of the stage*
[58] in die Enge zieht *concentrates*
[59] *tradition*

gespielt. Betrachtet man die Ökonomie des Stücks
recht genau, so bemerkt man, daß diese beiden Figuren
und was an sie grenzt, nur als possenhafte Intermezzisten [60] auftreten, die uns bei unserer folgerechten,
Übereinstimmung liebenden Denkart auf der Bühne 5
unerträglich sein müssen.

Am merkwürdigsten erscheint jedoch Shakespeare,
wenn er schon vorhandene Stücke redigiert und zusam-
menschneidet.[61] Bei König Johann und Lear können
wir diese Vergleichung anstellen, denn die ältern Stücke 10
sind noch übrig. Aber auch in diesen Fällen ist er wieder
mehr Dichter überhaupt als Theaterdichter.

Lasset uns denn aber zum Schluß zur Auflösung
des Rätsels schreiten. Die Unvollkommenheit der
englischen Bretterbühne [62] ist uns durch kenntnis- 15
reiche Männer vor Augen gestellt. Es ist keine Spur von
der Natürlichkeitsforderung, in die wir nach und nach
durch Verbesserung der Maschinerie und der perspek-
tivischen Kunst und der Garderobe hineingewachsen
sind, und von wo man uns wohl schwerlich in jene 20
Kindheit der Anfänge wieder zurückführen dürfte: vor
ein Gerüste, wo man wenig sah, wo alles nur bedeutete,[63] wo sich das Publikum gefallen ließ,[64] hinter
einem grünen Vorhang das Zimmer des Königs anzu-
nehmen, den Trompeter, der an einer gewissen Stelle 25
immer trompetete, und was dergleichen mehr ist. Wer
will sich nun gegenwärtig so etwas zumuten lassen? [65]
Unter solchen Umständen waren Shakespeares Stücke

---

[60] **possenhafte Intermezzisten** *actors performing a comical intermezzo*
[61] *cuts up*
[62] *the "boards," i.e., the stage of Shakespeare's time*
[63] **wo alles nur bedeutete** *where everything only suggested something*
[64] **sich . . . gefallen ließ** *tolerated*
[65] **Wer will sich nun gegenwärtig so etwas zumuten lassen?** *Who
in this day and age is willing to have something like that expected
of him?*

höchst interessante Märchen, nur von mehreren Personen erzählt, die sich, um etwas mehr Eindruck zu machen, charakteristisch maskiert hatten, sich, wie es nottat,[66] hin und her bewegten, kamen und gingen,
5 dem Zuschauer jedoch überließen, sich auf der öden Bühne nach Belieben Paradies und Paläste zu imaginieren.

Wodurch erwarb sich denn Schröder [67] das große Verdienst, Shakespeares Stücke auf die deutsche Bühne
10 zu bringen, als daß er der Epitomator [68] des Epitomators wurde! Schröder hielt sich ganz allein ans Wirksame, alles andere warf er weg, ja sogar manches Notwendige, wenn es ihm die Wirkung auf seine Nation, auf seine Zeit zu stören schien. So ist es zum Beispiel
15 wahr, daß er durch Weglassung der ersten Szenen des Königs Lear den Charakter des Stücks aufgehoben; aber er hatte doch recht: denn in dieser Szene erscheint Lear so absurd, daß man seinen Töchtern in der Folge nicht ganz unrecht geben kann. Der Alte
20 jammert einen, aber Mitleid hat man nicht mit ihm und Mitleid wollte Schröder erregen, sowie Abscheu gegen die zwar unnatürlichen, aber doch nicht durchaus zu scheltenden Töchter.

In dem alten Stücke, welches Shakespeare redigiert,
25 bringt diese Szene im Verlaufe des Stücks die lieblichsten Wirkungen hervor. Lear entflieht nach Frankreich, Tochter und Schwiegersohn, aus romantischer Grille, machen verkleidet irgendeine Wallfahrt ans Meer und treffen den Alten, der sie nicht erkennt. Hier
30 wird alles süß, was Shakespeares hoher tragischer Geist uns verbittert hat. Eine Vergleichung dieser

---

[66] **wie es nottat** *as was necessary*
[67] **Friedrich Ludwig Schröder** (1744–1816), actor and theater director in Hamburg who was noted for his adaptations of Shakespeare and his acting in Shakespearean roles.
[68] See note 56.

Stücke macht dem denkenden Kunstfreunde immer aufs neue Vergnügen.

Nun hat sich aber seit vielen Jahren das Vorurteil in Deutschland eingeschlichen, daß man Shakespeare auf der deutschen Bühne Wort für Wort aufführen müsse, 5 und wenn Schauspieler und Zuschauer daran erwürgen sollten. Die Versuche, durch eine vortreffliche genaue Übersetzung veranlaßt, wollten nirgends gelingen, wovon die weimarische Bühne bei redlichen und wiederholten Bemühungen das beste Zeugnis ablegen 10 kann. Will man ein Shakespearisch Stück sehen, so muß man wieder zu Schröders Bearbeitung greifen; aber die Redensart, daß auch bei der Vorstellung von Shakespeare kein Jota zurückbleiben dürfe, so sinnlos sie ist, hört man immer wiederklingen. Behalten die 15 Verfechter dieser Meinung die Oberhand, so wird Shakespeare in wenigen Jahren ganz von der deutschen Bühne verdrängt sein, welches denn auch kein Unglück wäre; denn der einsame oder gesellige Leser wird an ihm desto reinere Freude empfinden.   20

Um jedoch in dem Sinne, wie wir oben weitläufig gesprochen, einen Versuch zu machen, hat man Romeo und Julie für das weimarische Theater redigiert. Die Grundsätze, wonach solches geschehen,[69] wollen wir ehestens entwickeln, woraus sich denn vielleicht auch 25 ergeben wird, warum diese Redaktion, deren Vorstellung keineswegs schwierig ist, jedoch kunstmäßig und genau behandelt werden muß, auf dem deutschen Theater nicht gegriffen.[70] Versuche ähnlicher Art sind im Werke, und vielleicht bereitet sich für die Zukunft 30 etwas vor, da ein häufiges Bemühen nicht immer auf den Tag wirkt.[71]

[69] Supply: ist
[70] Supply: hat; nicht gegriffen hat *was without effect*
[71] nicht immer auf den Tag wirkt *does not always produce immediate results*

Versuch einer Witterungslehre

AMONG GOETHE'S later poems we find a trilogy whose first two stanzas bear the title *Atmosphäre* and run:

"Die Welt, sie ist so groß und breit,
Der Himmel auch so hehr und weit;
Ich muß das alles mit Augen fassen,
Will sich aber nicht recht denken lassen."

Dich im Unendlichen zu finden,
Mußt unterscheiden und dann verbinden;
Drum danket mein beflügelt Lied
Dem Manne, der Wolken unterschied.

The man "who made distinctions among clouds" was the English scientist Luke Howard, whose *Essay on modifications of clouds* (1803) Goethe had read with extreme interest and on which he commented in an essay of his own, *Wolkengestalt nach Howard* (1820).

Goethe's interest in meteorology dated at least from his journey to Italy. It received considerable impetus from Howard's book, and by 1815, when he had a meteorological station erected on the Ettersberg near Weimar, it had developed into a systematic preoccupation.

Versuch einer Witterungslehre, written in 1825 but published posthumously from Goethe's *Nachlaß,* is Goethe's attempt at a brief, but comprehensive, presentation of basic meteorological principles. Although the study of the phenomena having to do with weather has attracted many eminent minds since antiquity, the views on meteorology considered valid today are of very recent origin. Most of what Goethe writes here bearing specifically on this science has only historical interest. The importance of the entire essay, however, lies in what it reveals to us about Goethe's concept of science and its place in his *Weltanschauung.*

VERSUCH EINER
WITTERUNGSLEHRE[1]

EINLEITENDES UND ALLGEMEINES

DAS WAHRE, mit dem Göttlichen identisch, läßt sich niemals von uns direkt erkennen: wir schauen es nur im Abglanz, im Beispiel, Symbol, in einzelnen und verwandten Erscheinungen; wir werden es gewahr als 5 unbegreifliches Leben und können dem Wunsch nicht entsagen, es dennoch zu begreifen.

Dieses gilt von allen Phänomenen der faßlichen Welt, wir aber wollen diesmal nur von der schwer zu fassenden Witterungslehre sprechen.

[1] *meteorology*

Die Witterung offenbart sich uns, insofern wir handelnde, wirkende Menschen sind, vorzüglich durch Wärme und Kälte, durch Feuchte und Trockne, durch Maß [2] und Übermaß solcher Zustände, und das alles empfinden wir unmittelbar, ohne weiteres Nachdenken [5] und Untersuchen.

Nun hat man manches Instrument ersonnen, um eben jene uns täglich anfechtenden [3] Wirkungen dem Grade nach zu versinnlichen; das Thermometer beschäftigt jedermann, und wenn er schmachtet [4] oder [10] friert, so scheint er in gewissem Sinne beruhigt, wenn er nur sein Leiden nach Réaumur [5] oder Fahrenheit [6] dem Grade nach aussprechen kann.

Nach dem Hygrometer [7] wird weniger gesehen. Nässe und Dürre nehmen wir täglich und monatlich [15] auf, wie sie eintreten. Aber der Wind beschäftigt jedermann; die vielen aufgesteckten Fahnen lassen einen jeden wissen, woher er komme und wohin er gehe; jedoch was es eigentlich im ganzen heißen solle,[8] bleibt hier, wie bei den übrigen Erscheinungen, ungewiß. [20]

Merkwürdig ist es aber, daß gerade die wichtigste Bestimmung [9] der atmosphärischen Zustände von dem Tagesmenschen [10] am allerwenigsten bemerkt wird; denn es gehört eine kränkliche Natur dazu, um gewahr

[2] *moderation*
[3] *besetting*
[4] *is exhausted [from heat]*
[5] **René Antoine Ferchault de Réaumur** (1683–1757), French physicist and zoologist, invented in 1730 the thermometric scale on which 0° marks the freezing point and 80° the boiling point of water.
[6] **Gabriel Daniel Fahrenheit** (1686–1736), German physicist born in Danzig. In 1709 he established his thermometric scale by using as 0° the coldest temperature recorded that winter in his native city.
[7] A device used to measure the degree of moisture in the atmosphere.
[8] **was es eigentlich im ganzen heißen solle** *what the meaning of it all is supposed to be*
[9] **Bestimmung** *determining factor*
[10] *everyday man, the "man in the street"*

zu werden,[11] es gehört schon eine höhere Bildung dazu, um diejenige atmosphärische Veränderung zu beobachten, die uns das Barometer anzeigt.

Diejenige Eigenschaft der Atmosphäre daher, die
5 uns so lange verborgen blieb, da sie bald schwerer bald leichter, in einer Folgezeit an demselbigen Ort oder zu gleicher Zeit an verschiedenen Orten, und zwar in verschiedenen Höhen, sich manifestiert, ist es, die wir denn doch in neuerer Zeit immer an der Spitze aller
10 Witterungsbeobachtungen sehen und der auch wir einen besondern Vorzug einräumen.[12]

Hier ist nun vor allen Dingen der Hauptpunkt zu beachten: daß alles, was ist oder scheint, dauert oder vorübergeht, nicht ganz isoliert, nicht ganz nackt ge-
15 dacht werden dürfe;[13] eines wird immer noch von einem anderen durchdrungen, begleitet, umkleidet, umhüllt; es verursacht und erleidet Einwirkungen, und wenn so viele Wesen durcheinander arbeiten,[14] wo soll am Ende die Einsicht, die Entscheidung herkommen,
20 was das Herrschende, was das Dienende sei, was voranzugehen bestimmt, was zu folgen genötigt werde?[15] Dieses ists, was die große Schwierigkeit alles theoretischen Behauptens[16] mit sich führt, hier liegt die Gefahr: Ursache und Wirkung, Krankheit und
25 Symptom, Tat und Charakter zu verwechseln.

Da bleibt nun für den ernst Betrachtenden nichts übrig, als daß er sich entschließe, irgendwo den Mittelpunkt hinzusetzen und alsdann zu sehen und zu

---

[11] um gewahr zu werden *to become aware of* [*it*]
[12] *concede, grant*
[13] nicht ganz nackt gedacht werden dürfe *must not be thought of as entirely naked* (i.e., apart from its relation to other things).
[14] durcheinander arbeiten *exert their influence promiscuously*
[15] was voranzugehen bestimmt, was zu folgen genötigt werde *what is intended to precede, what is compelled to follow*
[16] *assertion*

suchen, wie er das übrige peripherisch behandle. Ein
solches haben auch wir gewagt, wie sich aus dem fol-
genden weiter zeigen wird.

Eigentlich ist es denn [17] die Atmosphäre, in der und
mit der wir uns gegenwärtig beschäftigen. Wir leben 5
darin als Bewohner der Meeresufer, wir steigen nach
und nach hinauf bis auf die höchsten Gebirge, wo es
zu leben schwer wird; allein mit Gedanken steigen wir
weiter, wir wagten den Mond, die Mitplaneten [18] und
ihre Monde, zuletzt die gegeneinander unbeweglichen 10
Gestirne [19] als mitwirkend zu betrachten, und der
Mensch, der alles notwendig auf sich bezieht, unterläßt nicht, sich mit dem Wahne zu schmeicheln, daß
wirklich das All, dessen Teil er freilich ausmacht, auch
einen besondern merklichen Einfluß auf ihn ausübe.   15

Daher wenn er auch die astrologischen Grillen, als
regiere der gestirnte Himmel die Schicksale der
Menschen, verständig aufgab, so wollte er doch die
Überzeugung nicht fahren lassen, daß, wo nicht die Fix-
sterne, doch die Planeten, wo nicht die Planeten, doch 20
der Mond die Witterung bedinge, bestimme und auf
dieselbe einen regelmäßigen Einfluß ausübe.

Alle dergleichen Einwirkungen aber lehnen wir ab;
die Witterungserscheinungen auf der Erde halten wir
weder für kosmisch noch planetarisch, sondern wir 25
müssen sie nach unseren Prämissen für rein tellurisch [20] erklären.[21]

---

[17] *then*
[18] *fellow planets*
[19] **die gegeneinander unbeweglichen Gestirne** *the fixed stars*
[20] *tellurian,* i.e., characteristic of the earth
[21] At this point in the original essay Goethe discusses parenthetically
a number of technical matters: the barometer, thermometer, manom-
eter, weather vane, atmosphere, water and cloud formation, electricity,
seasons, tips on correct reading of barometers, and barometric fluctua-
tion (*sogenannte Oszillation*). The *Artemis Gedenkausgabe,* which
the editors are using, omits this entire section.

WIEDERAUFNAHME [22]

Hiernach werden also zwei Grundbewegungen des lebendigen Erdkörpers angenommen und sämtliche barometrische Erscheinungen als symbolische Äußerung derselben betrachtet.

5 Zuerst deutet uns die sogenannte Oszillation [23] auf eine gesetzmäßige Bewegung um die Achse, wodurch die Umdrehung der Erde hervorgebracht wird, woraus denn Tag und Nacht erfolgt. Dieses Bewegende [24] senkt sich in vierundzwanzig Stunden zweimal und 10 erhebt sich zweimal, wie solches aus mannigfaltigen bisherigen Beobachtungen hervorgeht; wir versinnlichen sie [25] uns als lebendige Spirale, als belebte Schraube ohne Ende; sie bewirkt als anziehend und nachlassend das tägliche Steigen und Fallen des 15 Barometers unter der Linie; [26] dort, wo die größte Erdmasse sich umrollt, muß sie am bemerklichsten sein, gegen die Pole sich vermindern, ja Null werden, wie auch schon von Beobachtern ausgesprochen ist. Diese Rotation hat auf die Atmosphäre entschiedenen Ein-20 fluß; Klarheit und Regen erscheinen tagtäglich abwechselnd, wie die Beobachtungen unter dem Äquator deutlich beweisen.

Die zweite allgemein bekannte Bewegung,[27] die wir einer vermehrten oder verminderten Schwerkraft 25 gleichfalls zuschreiben und sie einem Ein- und Ausatmen vom Mittelpunkte gegen die Peripherie vergleichen,

---

[22] *Resumption* [of the main part of the essay]
[23] *fluctation*
[24] i.e., *the forces causing the tides*
[25] refers to **Oszillation**
[26] **unter der Linie** *under the line midway between the two extremes of the barometric scale*
[27] The first motion being the rotation of the earth about its axis.

diese darzutun haben wir das Steigen und Fallen des Barometers als Symptom betrachtet.

BÄNDIGEN UND ENTLASSEN [28] DER ELEMENTE

Indem wir nun Vorstehendes unablässig durchzu-denken, anzuwenden und zu prüfen bemüht sind, werden wir durch manches eintretende Ereignis immer 5 weiter geführt; man lasse uns daher in Betracht des Gesagten und Ausgeführten [29] noch Folgendes vor-tragen.

Es ist offenbar, daß das, was wir Elemente nennen, seinen eigenen wilden wüsten Gang zu nehmen im- 10 merhin den Trieb hat. Insofern sich nun der Mensch den Besitz der Erde ergriffen hat und ihn zu erhalten verpflichtet ist, muß er sich zum Widerstand bereiten und wachsam erhalten. Aber einzelne Vorsichtsmaß-regeln sind keineswegs so wirksam, als wenn man dem 15 Regellosen das Gesetz entgegenzustellen vermöchte, und hier hat uns die Natur aufs herrlichste vorgear-beitet, und zwar indem sie ein gestaltetes Leben dem Gestaltlosen entgegensetzt.

Die Elemente daher sind als kolossale Gegner zu 20 betrachten, mit denen wir ewig zu kämpfen haben, und sie nur durch die höchste Kraft des Geistes, durch Mut und List, im einzelnen Fall bewältigen.

Die Elemente sind die Willkür selbst zu nennen; die Erde möchte sich des Wassers immerfort bemächtigen 25 und es zur Solideszenz [30] zwingen, als Erde, Fels oder Eis, in ihren Umfang nötigen. Ebenso unruhig möchte das Wasser die Erde, die es ungern verließ, wieder in

---

[28] **Bändigen und Entlassen** *Restraint and Release*
[29] **Ausgeführten** *what has been explained*
[30] **Solideszenz** *solid state*

seinen Abgrund reißen. Die Luft, die uns freundlich umhüllen und beleben sollte, rast auf einmal als Sturm daher, uns niederzuschmettern und zu ersticken. Das Feuer ergreift unaufhaltsam, was von Brennbarem, 5 Schmelzbarem zu erreichen ist. Diese Betrachtungen schlagen uns nieder, indem wir solche so oft bei großem, unersetzlichem Unheil anzustellen haben. Herz und Geist erhebend ist dagegen, wenn man zu schauen kommt, was der Mensch seinerseits getan hat, 10 sich zu waffnen, zu wehren, ja seinen Feind als Sklaven zu benutzen.

Das Höchste jedoch, was in solchen Fällen dem Gedanken gelingt, ist: gewahr zu werden, was die Natur in sich selbst als Gesetz und Regel trägt, jenem unge-15 zügelten, gesetzlosen Wesen zu imponieren.[31] Wie viel ist nicht davon zu unserer Kenntnis gekommen! Hier dürfen wir nur des Nächsten [32] gedenken.

Die erhörte Anziehungskraft der Erde, von der wir durch das Steigen des Barometers in Kenntnis gesetzt 20 sind, ist die Gewalt, die den Zustand der Atmosphäre regelt und den Elementen ein Ziel setzt; [33] sie widersteht der übermäßigen Wasserbildung, den gewaltsamsten Luftbewegungen; ja, die Elektrizität scheint dadurch in der eigentlichsten Indifferenz gehalten zu 25 werden.

Niederer Barometerstand hingegen entläßt die Elemente, und hier ist vor allen Dingen zu bemerken, daß die untere Region der Kontinental-Atmosphäre Neigung habe, von Westen nach Osten zu strömen; 30 Feuchtigkeit, Regengüsse, Wellen, Wogen,[34] alles zieht milder oder stürmischer ostwärts, und wo diese Phäno-

[31] *restrain, curb*
[32] *following*
[33] **den Elementen ein Ziel setzt** *restrains the elements*
[34] *billows*

mene unterwegs auch entspringen mögen, so werden
sie schon mit der Tendenz, nach Osten zu dringen,
geboren.

Hiebei deuten wir noch auf einen wichtigen bedenklichen Punkt: [35] wenn nämlich das Barometer 5
lange tief gestanden hat und die Elemente des Ge-
horsams ganz entwöhnt sind, so kehren sie nicht also-
bald bei erhöhter Barometerbewegung in ihre Grenzen
zurück; sie verfolgen vielmehr noch einige Zeit das
vorige Gleis,[36] und erst nach und nach, wenn der 10
obere Himmel schon längst zu ruhiger Entschiedenheit
gekommen,[37] gibt sich das in den untern Räumen Aufgeregte in das erwünschte Gleichgewicht.[38] Leider werden wir auch von dieser letzten Periode zunächst
betroffen und haben besonders als Meeranwohner und 15
Schiffahrende großen Schaden davon. Der Schluß des
Jahres 1824, der Anfang des gegenwärtigen gibt davon
die traurigste Kunde; West und Südwest [39] erregen,
begleiten die traurigsten Meeres- und Küstenereignisse.

Ist man nun einmal auf dem Wege, seine Gedanken 20
ins Allgemeine zu richten, so findet sich kaum eine
Grenze; gar [40] geneigt wären wir daher, das Erdbeben
als entbundene tellurische Elektrizität, die Vulkane als
erregtes Elementarfeuer anzusehen und solche mit
den barometrischen Erscheinungen im Verhältnis zu 25
denken. Hiemit aber trifft die Erfahrung nicht überein;
diese Bewegungen und Ereignisse scheinen besondern

[35] **einen wichtigen bedenklichen Punkt** *an important point to consider*
[36] *path*
[37] **schon längst zu ruhiger Entschiedenheit gekommen [ist]** *has
long ago quieted down*
[38] **gibt sich das in den untern Räumen Aufgeregte in das erwünschte
Gleichgewicht** *does the turbulence in the lower expanses abate to the
desired equilibrium*
[39] **West und Südwest** *weather out of the west and southwest*
[40] *quite*

Lokalitäten, mit mehr oder minderer Wirkung in die
Ferne, ganz eigens anzugehören.

ANALOGIE

Hat man sich vermessen,[41] wie man wohl gelegent-
lich verführt wird, ein größeres oder kleineres wissen-
5 schaftliches Gebäude aufzuführen,[42] so tut man wohl,
zu Prüfung desselben sich nach Analogien umzusehen;
befolg ich aber diesen Rat im gegenwärtigen Falle, so
finde ich, daß die vorstehende Ausführung derjenigen
ähnelt, welche ich bei dem Vortrag der Farbenlehre [43]
10 gebraucht.

In der Chromatik [44] nämlich setze ich Licht und
Finsternis einander gegenüber; diese würden zu-
einander in Ewigkeit keinen Bezug haben, stellte sich
nicht die Materie zwischen beide; diese sei nun un-
15 durchsichtig, durchsichtig oder gar belebt, so wird
Helles und Dunkles an ihr [45] sich manifestieren und die
Farbe sogleich in tausend Bedingungen an ihr entstehen.

Ebenso haben wir nun Anziehungskraft und deren
20 Erscheinung, Schwere, an der einen Seite, dagegen
an der andern Erwärmungskraft und deren Erscheinen,[46] Ausdehnung, als unabhängig einander ge-
genübergestellt; zwischen beide hinein setzten wir die
Atmosphäre, den von eigentlich sogenannten Körper-
25 lichkeiten leeren Raum, und wir sehen, je nachdem

[41] *dared*
[42] ein . . . **wissenschaftliches Gebäude aufzuführen** *to set up a
scientific system*
[43] Goethe's comprehensive work on the theory of colors, **Zur
Farbenlehre,** appeared in 1810.
[44] *chromatics, science of colors*
[45] **an ihr = an der Materie**
[46] **Erscheinen = Erscheinung**

obgenannte beide Kräfte auf die feine Luftmaterialität
wirken, das, was wir Witterung nennen, entstehen und
so das Element, in dem und von dem wir leben, aufs
mannigfaltigste und zugleich gesetzlichste bestimmt.⁴⁷

ANERKENNUNG DES GESETZLICHEN ⁴⁸

Bei dieser, wie man sieht, höchst komplizierten Sache 5
glauben wir daher ganz richtig zu verfahren, daß wir
uns erst am Gewissesten halten; dies ist nun dasjenige,
was in der Erscheinung ⁴⁹ in gleichmäßigem Bezug ⁵⁰
sich öfters wiederholt und auf eine ewige Regel hin-
deutet. Dabei dürfen wir uns nur nicht irremachen 10
lassen,⁵¹ daß das, was wir als zusammenwirkend, als
übereinstimmend betrachtet haben, auch zuzeiten ab-
zuweichen und sich zu widersprechen scheint. Besonders ist solches nötig in Fällen wie dieser, wo man,
bei vielfältiger Verwicklung,⁵² Ursache und Wirkung so 15
leicht verwechselt, wo man Korrelate als wechselseitig
bestimmend und bedingend ⁵³ ansieht. Wir nehmen
zwar ein Witterungs-Grundgesetz an, achten aber desto
genauer auf die unendlichen physischen, geologischen,
topographischen Verschiedenheiten, um uns die Ab- 20
weichungen der Erscheinung ⁵⁴ wo möglich deuten zu
können. Hält man fest an der Regel, so findet man sich

---

⁴⁷ aufs mannigfaltigste und zugleich gesetzlichste bestimmt *determined in a most manifold way and at the same time according to strictest operation of the laws of nature*
⁴⁸ *Appreciation of the Laws of Nature*
⁴⁹ in der Erscheinung *phenomenally, in its physical manifestation*
⁵⁰ in gleichmäßigem Bezug *with uniform relevance*
⁵¹ Dabei dürfen wir uns nur nicht irremachen lassen *At the same time we must take care not to become confused [by the fact]*
⁵² *complication*
⁵³ als wechselseitig bestimmend und bedingend *as having a reciprocally determining and limiting relation*
⁵⁴ *phenomenon*

auch immer in der Erfahrung zu derselben zurückgeführt; wer das Gesetz verkennt, verzweifelt an der
Erfahrung, denn im allerhöchsten Sinne ist jede Aus-
nahme schon in der Regel begriffen.

SELBSTPRÜFUNG

5 Während man mit dem Wagestück, wie vorstehender
Aufsatz, beschäftigt ist, kann man nicht unterlassen,
sich auf mancherlei Weise selbst zu prüfen, und es
geschieht dies am allerbesten und sichersten, wenn
man in die Geschichte zurücksieht.

10 Alle Forscher, wenn man auch nur bei denjenigen
stehen bleibt, welche nach der Wiederherstellung der
Wissenschaften gearbeitet haben, fanden sich genötigt,
mit demjenigen, was die Erfahrung ihnen dargebracht,
so gut als möglich zu gebaren.[55] Die Summe des wahr-
15 haft Bekannten ließ in ihrer Breite gar manche Lücken,
welche denn, weil jeder zum Ganzen strebt, bald mit
Verstand, bald mit Einbildungskraft auszufüllen dieser
und jener bemüht war.[56] Wie die Erfahrung wuchs,
wurde das, was die Einbildungskraft gefabelt,[57] was
20 der Verstand voreilig geschlossen [58] hatte, sogleich beseitigt; ein reines Faktum setzte sich an die Stelle, und
die Erscheinungen zeigten sich nach und nach immer
mehr wirklich und zu gleicher Zeit harmonischer. Ein
einziges Beispiel stehe hier statt aller.
25 Von dem frühsten Unterricht meiner Lehrjahre bis

---

[55] *comport themselves*
[56] **Die Summe des wahrhaft Bekannten . . . und jener bemüht
war** *The sum of the truly known left, in its extent, a good many
lacunae, which then, because everyone strives for totality, this man
and that one endeavored to fill, sometimes with understanding, sometimes with imagination.*
[57] **gefabelt** (construe with **hatte**) *invented*
[58] *inferred*

auf die neuern Zeiten erinnere ich mich gar wohl, daß
der große und unproportionierte Raum zwischen Mars
und Jupiter jedermann auffallend gewesen [59] und zu
gar mancherlei Auslegungen Gelegenheit gegeben. Man
sehe unseres herrlichen Kants [60] Bemühungen, sich 5
über dieses Phänomen einigermaßen zu beruhigen.

Hier lag also ein Problem, man darf sagen am
Tage,[61] denn der Tag selbst verbarg, daß sich hier
mehrere kleine Gestirne um sich selbst bewegten und
die Stelle eines größeren dem Raum angehörigen Ge- 10
stirns auf die wundersamste Weise angenommen
hatten.

Dergleichen Probleme liegen zu Tausenden innerhalb des Kreises der Naturforschung, und sie würden
sich früher auflösen, wenn man nicht zu schnell ver- 15
führe, um sie durch Meinungen zu beseitigen und zu
verdüstern.

Indessen behauptet alles, was man Hypothese nennt,
ihr altes Recht, wenn sie nur das Problem, besonders
wenn es gar keiner Auflösung fähig scheint, einiger- 20
maßen von der Stelle schiebt und es dahin versetzt,
wo das Beschauen erleichtert wird. Ein solches Verdienst hatte die antiphlogistische Chemie; [62] es waren
dieselben Gegenstände, von denen gehandelt wurde,
aber sie waren in andere Stellen, in andere Reihen 25

[59] jedermann auffallend gewesen [war] *had attracted everyone's attention*

[60] Immanuel Kant (1724–1804) formulated his theory of the generation of the solar system in his work *Allgemeine Naturgeschichte und
Theorie des Himmels,* 1755.

[61] lag . . . am Tage was clear

[62] With the publication of his treatise *Sur la combustion en général*
in 1777, the French scientist Antoine Laurent Lavoisier (1743–1794)
showed that in the process of combustion oxygen combines with the
burning matter. His discovery put an end to the theory holding that
in combustion a hypothetical element, phlogiston, was released into
the air. Chemical research taking into account Lavoisier's findings and
employing his quantitative methods was given the name *"antiphlogistic
chemistry."*

gerückt, so daß man ihnen auf neue Weise von andern Seiten beikommen konnte.

Was meinen Versuch betrifft: die Hauptbedingungen der Witterungslehre für tellurisch zu erklären und einer
5 veränderlichen pulsierenden Schwerkraft der Erde die atmosphärischen Erscheinungen in gewissem Sinne zuzuschreiben, so ist er von derselben Art. Die völlige Unzulänglichkeit, so konstante Phänomene den Planeten, dem Monde, einer unbekannten Ebbe und Flut
10 des Luftkreises [63] zuzuschreiben, ließ sich Tag für Tag mehr empfinden, und wenn ich die Vorstellung darüber nunmehr vereinfacht habe, so kann man dem eigentlichen Grund der Sache sich um so viel näher glauben.

Denn ob ich gleich [64] mir nicht einbilde, daß hiemit
15 alles gefunden und abgetan [65] sei, so bin ich doch überzeugt: wenn man auf diesem Wege die Forschungen fortsetzt und die sich hervortuenden nähern Bedingungen [66] und Bestimmungen genau beachtet, so wird man auf etwas kommen, was ich selbst weder
20 denke noch denken kann, was aber sowohl die Auflösung dieses Problems als mehrerer verwandten mit sich führen wird.

[63] *atmosphere*
[64] ob ich gleich = obgleich ich
[65] *disposed of*
[66] die sich hervortuenden nähern Bedingungen *the prominent, more detailed stipulations*

BEDENKEN UND ERGEBUNG

IN THIS ESSAY, probably written in 1818, Goethe expresses his dismay at man's inability to bridge the gap between idea and experience. Since he recognizes the impossibility of solving this puzzle in philosophical terms, he turns to the images and symbolic language of poetry and closes his piece with the last poem in *Metamorphosis*, where it appears under the title *Antepirrhema*.

BEDENKEN UND

ERGEBUNG[1]

WIR KÖNNEN bei Betrachtung des Weltgebäudes [2] in seiner weitesten Ausdehnung, in seiner letzten Teilbarkeit uns der Vorstellung nicht erwehren,[3] daß dem Ganzen eine Idee zum Grunde liege, wornach Gott in 5 der Natur, die Natur in Gott von Ewigkeit zu Ewigkeit schaffen und wirken möge. Anschauung, Betrachtung, Nachdenken führen uns näher an jene Geheimnisse. Wir erdreisten uns und wagen auch Ideen; wir bescheiden uns und bilden Begriffe, die analog jenen 10 Uranfängen [4] sein möchten.

[1] *Misgivings and Resignation.*
[2] *universe*
[3] **uns der Vorstellung nicht erwehren** *not forbear having the idea*
[4] *primeval beginnings*

Hier treffen wir nun auf die eigene [5] Schwierigkeit, die nicht immer klar ins Bewußtsein tritt, daß zwischen Idee und Erfahrung eine gewisse Kluft befestigt [6] scheint, die zu überschreiten unsere ganze Kraft sich vergeblich bemüht. Demungeachtet bleibt unser ewiges [5] Bestreben, diesen Hiatus mit Vernunft, Verstand, Einbildungskraft, Glauben, Gefühl, Wahn und, wenn wir sonst nichts vermögen, mit Albernheit zu überwinden.

Endlich finden wir bei redlich fortgesetzten Bemühungen, daß der Philosoph [7] wohl möchte Recht [10] haben, welcher behauptet, daß keine Idee der Erfahrung völlig kongruiere, aber wohl zugibt, daß Idee und Erfahrung analog sein können, ja müssen. [8]

Die Schwierigkeit, Idee und Erfahrung miteinander zu verbinden, erscheint sehr hinderlich bei aller Natur- [15] forschung: die Idee ist unabhängig von Raum und Zeit, die Naturforschung ist in Raum und Zeit beschränkt; daher ist in der Idee Simultanes und Sukzessives innigst verbunden, auf dem Standpunkt der Erfahrung hingegen immer getrennt, und eine Natur- [20] wirkung, die wir der Idee gemäß als simultan und sukzessiv zugleich denken sollen, scheint uns in eine Art Wahnsinn zu versetzen. Der Verstand kann nicht vereinigt denken, was die Sinnlichkeit ihm gesondert überlieferte, und so bleibt der Widerstreit zwischen [25] Aufgefaßtem und Ideiertem [9] immerfort unaufgelöst.

Deshalb wir uns denn billig [10] zu einiger Befriedigung in die Sphäre der Dichtkunst flüchten und

---

[5] *real*
[6] *established*
[7] Goethe may be referring either to Plato or Kant.
[8] **analog sein können, ja müssen** *can be, indeed have to be, analogous*
[9] **Ideiertem** *what is ideated*
[10] *reasonably*

ein altes Liedchen mit einiger Abwechselung [11] erneuern:

> *So schauet mit bescheidnem Blick*
> *Der ewigen Weberin Meisterstück,*
> 5 *Wie ein Tritt tausend Fäden regt,*
> *Die Schifflein hinüber herüber schießen,*
> *Die Fäden sich begegnend fließen,*
> *Ein Schlag tausend Verbindungen schlägt.*
> *Das hat sie nicht zusammen gebettelt,*
> 10 *Sie hat's von Ewigkeit angezettelt;*
> *Damit der ewige Meistermann*
> *Getrost den Einschlag werfen kann.*

[11] Goethe calls the poem at the end of this essay "ein altes Liedchen
mit einiger Abwechselung" because once before he had used the
symbol of the loom, and even two of the same line, in a quite different context, namely in the comic scene in *Faust* where Mephistopheles advises the student to register for a course i. logic. He says:
Dann lehret man Euch manchen Tag, / Daß, was Ihr sonst auf Einen
Schlag / Getrieben, wie Essen und Trinken frei, / Eins! Zwei! Drei!
dazu nötig sei. / Zwar ists mit der Gedankenfabrik / Wie mit einem
Webermeisterstück, / Wo Ein Tritt tausend Fäden regt, / Die
Schifflein herüber-hinüberschießen, / Die Fäden ungesehen fließen, /
Ein Schlag tausend Verbindungen schlägt.